LA ZAPATERA PRODIGIOSA

GREGORIO PRIETO
MADRID. JUNIO 1936

FEDERICO GARCÍA LORCA

LA ZAPATERA PRODIGIOSA

Farsa violenta en dos actos

Edited by

JOHN STREET M.A., Ph.D.
Lecturer in Latin American Studies
University of Cambridge

and

FLORENCE STREET M.A.
Lecturer in Spanish
University of Cambridge

GEORGE G. HARRAP & CO. LTD
London Toronto Wellington Sydney

First published in Great Britain 1962
by GEORGE G. HARRAP & CO. LTD
182 High Holborn, London, W.C.1

© *George G. Harrap & Co. Ltd* 1962

Composed in Bembo type and printed by
William Clowes and Sons, Limited, London and Beccles

Made in Great Britain

CONTENTS

		page
Introduction		7

LA ZAPATERA PRODIGIOSA

Prólogo		37
Acto primero		39
Acto segundo		62
Notes		93
Select Vocabulary		101

INTRODUCTION

Federico García Lorca was born on June 5th, 1898, in the small village of Fuentevaqueros, not far from Granada. His father was a prosperous Andalusian farmer. His mother, Vicenta Lorca, had been a schoolmistress, and after her marriage she retained her intellectual interests—especially in music and poetry. Other members of the family were interested in music and also in painting. So that Lorca began his life in a family whose normal background included quite a diversity of artistic talent, as well as the farmer's delight in, and practical knowledge of his own countryside.

As a young child, Lorca had a serious illness, the effects of which lasted for many years, and which had marked results upon his development. Although he showed a precocious talent for music, he was unable to speak until he was three years old, and could only walk with a limp by the age of four. Normal activities were naturally restricted by this ill-health. However, his energies found an outlet in arranging amusements at home for his younger brothers and sisters and the servants of the family, and he showed considerable talent in organising toy theatres, puppet-shows, mock sermons and other entertainments of a dramatic nature.

So that the children might receive a proper education, the family moved into Granada. There Federico went to school, and later to the University, where he read both Law and

Filosofía y Letras. He finally took a degree in Law in Granada in 1923.

On the whole, however, Lorca was not an enthusiastic student. He read widely and with eagerness, but often outside the scope of his formal studies: his main reading seems to have been the Spanish classics, especially Cervantes, and the theatre, from translations of Greek plays to the works of contemporary foreign dramatists. Lorca found stereotyped academic studies unrewarding, and preferred to seek stimulation in personal contacts outside the regular university course. His chief interest at this time was music, which he studied in Granada with Don Antonio Segura, who also introduced him to the study of Andalusian folk-lore. It was natural that Lorca should have many friendships in Granada, one of the most important being that with the musician and composer Manuel de Falla. A family friend who was to have far-reaching influence on Lorca's life was Fernando de los Ríos, a professor at Granada University, President of the Centro Artístico de Granada, and nephew of Don Francisco Giner de los Ríos, the Liberal founder of the famous Institución Libre de Enseñanza in Madrid. The third friend to play an important part in Lorca's early life was Domínguez de Berrueta, Professor of Art in the University of Granada. Naturally, Lorca's intimacy with men of such talent encouraged the development of his own powers.

Berrueta was accustomed to take groups of students on study-tours round Spain. In 1918, Lorca went on one of these excursions, and found that his mental horizons were greatly extended. The result was his first book—*Impresiones y paisajes*—which, although immature, demonstrated the alertness and sensibility which were to mark Lorca's later work, and also reflected his newly awakened interest in parts of Spain other than Andalusia.

The next year, encouraged by Don Fernando de los Ríos, Lorca entered the Residencia de Estudiantes in Madrid. Again, he spent little time on formal studies, but his obvious talent and magnetic personality soon won him many friends, including Dalí, Guillén, Salinas and Alberti. He remained there until 1928, visiting other parts of Spain from time to time, and spending most of his summer vacations in Granada.

In 1922 Lorca took an enthusiastic part in the Fiesta del Cante Hondo organised in Granada by Manuel de Falla to coincide with the Corpus Christi celebrations in June. Lorca had always been attracted by Andalusian music and folk-lore, but it is clear from the lectures he gave for this festival that his interest really had been quickened by this occasion, and that he had been stimulated to read widely on the subject of Andalusian folk-lore and to enquire deeply into its nature and value. Nor was this interest purely academic. He knew many of the most celebrated *cantaores* and distinguishes subtly between their different kinds of talent. One of the main elements which attracted Lorca to *cante hondo* was, of course, the fact that its development had been influenced by the gipsies, and that it was still most often sung by them. *Cante hondo* seemed to Lorca one of the most perfect, moving and spontaneous forms in which human emotion has ever been expressed or recorded. Some of the *coplas* quoted by Lorca in his lectures for the festival appear later on in his own poems and plays, and there is no doubt that the Fiesta del Cante Hondo made him more aware of the possibilities of Andalusian art as a whole. Its influence is clearly seen in the many allusions to Andalusian folk-songs which appear in *La zapatera prodigiosa*.

All this time, Lorca's reputation was growing through his custom of reciting his poems aloud to a circle of friends and critics.   He was never in any hurry to publish, and many of his works were actually completed and performed in this way a considerable time before they appeared in print.

In Madrid, Lorca became interested in the small but selective Teatro Eslava run by Martínez Sierra.   His first play, *El maleficio de la mariposa*, was put on in this theatre in 1920 and was a complete failure.   The following year, however, he published his first poetry, the *Libro de poemas*, which pleased the critics although it made little impression upon the general public.   The *Libro de canciones* did not appear until 1927, to be followed the next year by the *Romancero gitano*. In the interval of six years between the appearance of his first two books of poems Lorca's reputation had grown immensely.   This was largely due to the intense force of his personality, which made of his private recitals of poetry a unique and unforgettable experience.   He was already something of a legend before the *Romancero gitano* appeared. When it did, he found himself suddenly acclaimed by a large and enthusiastic public both in Spain and in Latin America.

Lorca's first success in the theatre had come not long before this, with the performance of his *Mariana Pineda* in Madrid. He became one of the most active and successful young artists in the Spain of the time, exhibiting paintings in Barcelona, lecturing in Madrid and inspiring a circle of devoted and talented admirers in Granada.

Then, for some reason, Lorca suddenly became extremely depressed.   He was afraid, for one thing, of too facile a popularity—"la fama estúpida," as he called it—which might easily involve him in literary polemics and hinder his creative activity. Private emotional reasons also seem to have played their part. He surmounted the crisis, but felt that his beloved Granada was no longer a place for him to live in. As he wrote to Jorge Zalamea:

> Yo he resuelto estos días con voluntad uno de los estados más dolorosos que he tenido en mi vida. Tú no te puedes imaginar lo que es pasarse noches enteras en el balcón viendo una Granada nocturna, vacía para mí, y sin tener el menor consuelo de nada.

Lorca's friend Fernando de los Ríos had planned to visit New York in the summer of 1929, and the poet decided to accompany him. He settled at Columbia University, intending to study English, but once again he became the centre of a group of artists and literary men more interested in their own creative work than in academic pursuits. The kind of civilisation Lorca found in New York shocked him profoundly: he characterised it as "ritmo furioso, geometría y angustia." The city at this time was in the depths of the financial depression of the late 'twenties and early 'thirties, much man-power was redundant, and human dignity was at an unusually severe discount. Lorca felt that the materialism and indifference to humanity of the mechanised life of the American city was the negation of all spiritual values, the antithesis of the kind of world he had known in Andalusia. "En ninguna parte del mundo," he said, "se siente como allí [en Nueva York] la ausencia total del espíritu." The difficult, surrealistic *Poeta en Nueva York* was the immediate outcome of his visit. But the more lasting results were an increased and more balanced awareness of the universal problems of human existence, and a deepening and simplifying of his poetic technique. The *Romancero gitano* corresponds, at least in externals, to a way of life that belongs only to the south of Spain. But the *Llanto por Ignacio Sánchez Mejías*, although written for the death of an Andalusian, treats the problems of death and grief in a way that is purely human and universal.

An invitation to lecture in Cuba provided Lorca with a convenient way of escaping from New York. He returned to Spain in the summer of 1930 and entered upon a period of intense activity. Everything he touched became a success. The *Poema del cante jondo* appeared in 1931, and the *Llanto por Ignacio Sánchez Mejías* in 1935. He was in great demand as a lecturer in both Spain and Latin America. He also continued his musical activities, collecting and harmonising folk-songs for La Argentinita and remaining in close contact with Falla, who was then working on *El amor brujo*. But Lorca's chief work was now to lie in the theatre. The first play he produced on returning from New York was the farce *La zapatera prodigiosa*, which he had begun to write in 1926, but which had never been performed. He continued his exploration of the possibilities of farce with the *Amor de Don Perlimplín* and *El retablillo de Don Cristóbal*. Further experiments with dramatic forms produced the surrealistic *Así que pasen cinco años* and *El público*, never completely revised or polished.

Lorca's most important work, however, was produced by the impact of his own experimental techniques upon the traditional Spanish theatre. In 1931 Spain had been declared a Republic, and Fernando de los Ríos had been appointed

Ministro de Instrucción Pública. He made it possible for Lorca and Eduardo Ugarte to gather together a theatrical company composed of amateur enthusiasts—mostly university students. This company became known as La Barraca, and toured the country giving free open-air performances of classical and modern Spanish plays. The performances of La Barraca became extremely popular, and the enterprise provided Lorca with much valuable experience in producing plays of very different kinds before very varied audiences. It also deepened his contact with the people of Spain and gave him the opportunity to study the interaction of the play and the audience without the extraneous problems brought into this relationship by the commercial theatre. The great successes of Lorca's later theatre owe much to the experience gained with La Barraca—*Bodas de sangre* in 1933, *Yerma* in 1934, *Doña Rosita la soltera* in 1935 and *La casa de Bernarda Alba*, which was not generally known until after Lorca's death.

Late in 1933 Lorca visited America again: this time he went to Argentina, making a triumphal progress round the country, reading poetry, lecturing and producing plays. He returned to Spain and was at work on new poetry and a new play when the Civil War broke out in July 1936. He refused an invitation to Mexico and, despite the obvious risks, went to Granada as usual for the summer. He was seized and shot there almost at once, whether for political reasons or from personal spite has never been established.

Lorca's plays can be divided into several categories: comedies and farces, tragedies with a nineteenth-century setting, tragedies with a rural setting and the surrealist plays.

La zapatera prodigiosa was Lorca's most successful venture in the form of farce; it also contains subordinate elements from ballet and from puppetry. And yet the topics treated in *La zapatera* are far from what we usually feel to be comic or farcical. We have to consider what prompted Lorca to cast this short play in this particular form. How was it that playwrights in Spain at this period came to use farce to discuss serious ideas?

The intellectual circles in which Lorca moved were seriously critical of the state of the Spanish theatre. It was felt that the Spanish stage had no life left in it. Lorca himself condemned it as "este teatro de ahora, ñoño y cursi." The ordinary theatres were bound too closely by convention. They dared produce nothing more than the trite and realistic middle-class drama which had finally shut off the Spanish stage from contact with the speech and imagination of the Spanish country-folk. The theatres could not say anything new or profound for fear of shocking their audiences, long accustomed to a diet of the neat comedies of the brothers Quintero or the plausible moralising of Benavente. They could rarely discuss the basic problems of human existence without being thought indecent (Lorca's own play *Don Perlimplín* was banned for indecency in 1929). The commercial theatre aimed only at providing popular entertainment and was consequently buried under a mass of vulgar sentimentality and an unquestioned and superficial morality.

In intellectual circles, the reaction against this state of affairs was to put on new plays in private. Young dramatists lost hope of the commercial theatre and turned instead to amateur and improvised productions. Parts of Valle-Inclán's *Los cuernos de Don Friolera*, for instance, were first presented in a private house. In 1917 Martínez Sierra started up his company at the Teatro Eslava, and it was there that Falla's *Sombrero de tres picos* was first performed as a mime before it was made into a ballet. In the same way, Lorca's *Zapatera* was first acted privately by a group known as El Caracol, directed by Rivas Cherif, before it was put on publicly at the Teatro Español on December 24th, 1930.

La zapatera prodigiosa marks a definite change in Lorca's dramatic technique. His first play, the symbolical *El maleficio de la mariposa*, had been a complete failure. In 1927 he tried a more conventional drama, the historical play *Mariana Pineda*. This had a considerable success in Madrid, but Lorca was not satisfied with its reception. He felt that there was not sufficient communication on an intellectual level between himself and the audience, that more enthusiasm would have been shown if his audience had been able to comprehend his ideas more completely. He saw that the audience must in some way be made more alert and more receptive. And he decided to stimulate its imagination by confronting it with plays which were obviously different in technique from those to which it was accustomed—plays whose deeper meaning could not be grasped without a considerable effort of the imagination. The result was the group of three farces, of which *La zapatera* is now the best known.

Ideas can, of course, be presented in a theatre in forms other than the conventional drama: in mime, in ballet, in puppetry and in farce. Great interest in ballet had been stimulated by the visit of Russian dancers to Spain in 1917. Lorca was a close friend of Falla's and was much impressed by his ballet *El sombrero de tres picos*, to which the plot of *La zapatera* bears a close resemblance. Many of the lesser characters in *La zapatera*—particularly the Vecinas—are presented as if they were performing a ballet. The Vecinas form a chorus which comments on the action of the play. Their speeches do not reveal individual character, but the attitude of the village as a whole. They are carefully dressed in different colours and convey as much by gesture and movement as they do by speech. Lorca did, in fact, write another version of *La zapatera* intended for ballet performance, but the manuscript has remained unpublished in Argentina. Even as it stands, the play moves with the speed and rhythm of a *zapateado*, filling the stage with the colour and vitality of Andalusian village life. Lorca has succeeded admirably in this deliberate use of music and colourful symbols to abstract from a picturesque setting the ideas and emotions he wishes to convey. As he put it himself:

> Lo más característico de esta simple farsa es el ritmo de la escena, ligado y vivo, y la intervención de la música, que me sirve para desrealizar la escena y quitar a la gente la idea de que «aquello está pasando de veras».

Lorca always referred to the *Zapatera* as a "farsa violenta." The plot of the play is not by theatrical standards "violent": the violence, the vehemence, comes out in the speed and rhythm with which the farce needs to be produced.

The reasons for using unusual dramatic forms—particularly for using farce—were most clearly analysed by Ortega y Gasset in 1925, in *La deshumanización del arte*. Ortega saw that for quite a long time art of all kinds had been suffering from an over-dose of realism. It is not the function of art to reproduce reality. If a painter looks at a man, the sight of that man produces within the painter certain reactions which are really emotions and ideas. The new generation of painters was trying to depict these emotions and ideas upon the canvas, whereas Romantic art and its descendants had tried to depict the man himself and also to suggest the reactions he aroused in the artist. So that in the kind of art that was new in the 'twenties, realism disappears. The aim of the artist is now to "eliminar los ingredientes «humanos, demasiado humanos» y retener sólo la materia puramente artística." In this new kind of art, sentimentality and the use of the pathetic are amongst the first things to shrivel away. Mental alertness, imagination and a sense of the ironic take their place. Translated into terms of the drama, this attitude towards creative work produces the farce—"la farsa, la misión radical del arte y su benéfico menester."

With this new and more abstract approach, figures could be produced in the theatre simply to represent the idea of a human being and to illustrate the problems in which he might be involved, without trying to reproduce that human being's character in its entirety. As Lorca himself explained in a lecture, "La zapatera es una farsa, más bien un ejemplo poético del alma humana." Valle-Inclán also experimented with grotesque, dehumanised figures in his *farsas y esperpentos*, and Lorca owes a good deal to his example. In *La zapatera* he works along the same lines as Valle-Inclán, but in a more humorous way and without reaching the extremes of his satire.

Despite the general degeneration of the Spanish theatre, there remained one form of dramatic expression in Spain which could in no way be accused of sentimentality. This was the puppet-show. Puppet-shows have been popular in Spain for centuries. Madrid still has frequent performances,

B

and Punch and Judy shows are to be seen on most Spanish beaches in the summer. Not long before Lorca produced *La zapatera*, an Italian puppet company had had a great success at the theatre of La Zarzuela in Madrid.

Puppet-plays fit in extremely well with Ortega's theories about dehumanised art. Puppets are clearly meant to be grotesque and so do not arouse our sympathy as human beings. Therefore, crudity and forthrightness in their speech or actions can call forth no objection from the audience. Their simplicity allows the author to deal, without embarrassment, with problems which are profound, but not complex. Puppets are intrinsically a rather comic representation of human existence, and a play in which the characters are envisaged as puppets leaves the dramatist great scope for humour and irony. He can stand back and view the fate and presumed emotions of these creatures with complete objectivity. They are mere detached symbols who illustrate the problems of humanity, but who demand no human sympathy and whose actions cannot shock. Thus, in *El retablillo de Don Cristóbal*, the puppet Don Cristóbal beats his mother-in-law to death while his wife is giving birth to five illegitimate children off-stage. Then he drags the wife on to beat her too. The Mother revives and the Producer intervenes. A scene like this would be unthinkable with live actors. But in a puppet-play, any actions are tolerable and any words can be spoken. As Lorca put it himself,

> estallan con alegría y con encantadora inocencia las palabrotas y los vocablos que no resistimos en los ambientes de las ciudades ... Las malas palabras adquieren ingenuidad y frescura dichas por muñecos.

Lorca wants his audience to co-operate with him in a spirit of candour and frankness which will cleanse and revitalise the theatre and make it possible to fill it with beauty and with the deep analysis of serious subjects. "Quiero llevar al teatro," he said, "temas y problemas que la gente tiene miedo de abordar." And again:

> Llenemos el teatro de espigas frescas, debajo de las cuales vayan palabrotas que luchen en la escena con el tedio y la vulgaridad a que la tenemos condenada.

The freedom of expression which Lorca hoped to gain by this farcical treatment of dehumanised characters is shown most clearly in the *Retablillo*, where he chooses a sexual theme in an attempt to break down the false prudery so prevalent in Spain at the time.

It is this conception of dramatic character that Lorca uses in *La zapatera*, where he is aiming at the same frankness and freedom of expression. The characters are all treated as if they were puppets, even though the actors are live people. *La zapatera* has all the vigour, crudity and directness of a puppet-show, and it is significant that when the Zapatero leaves his wife, he becomes a puppeteer himself, finally returning to confront his wife with a puppet-show about a broken marriage which is a symbol of his own. The characters in *La zapatera* have no individual names, and we are not meant to regard them as proper persons. Each is called by a common noun, which more or less defines his characteristics —El Zapatero, El Niño, El Alcalde and the various Vecinas. Don Mirlo, who is a skit on Don Juan Tenorio, is meant to have the quick, hopping movements of a blackbird. In one stage-direction it is specifically laid down that he should move like a puppet: "mueve la cabeza como un muñeco de alambre."

Lorca sets the ironical, sarcastic tone of the puppet-play in the prologue to *La zapatera*. It is obvious from the start that he is making fun of the conventional drama, and breaking down its restrictions. Lorca played the part of the author himself for the first few performances. He addresses the audience in mocking and enigmatic terms: shall he call them "respetable público" or not? The characters get out of hand and shout behind the scenes while he is speaking. Finally he takes off his top hat and bows to the audience. The hat is lit up from inside with a green light, and a jet of water shoots out of it. The author withdraws from the stage, his expression "lleno de ironía." Clearly, this is not going to be a conventional play. If the audience is going to make any sense out of this sort of thing, it will have to abandon any preconceived notions about the theatre and use its imagination.

In *La zapatera*, then, Lorca does not aim at verisimilitude; and considered from the point of view of realism, the plot of the play is somewhat improbable. Yet as a psychological study of the emotional development of a man and a woman in these particular circumstances it is perfectly sound, though the basic problems of sterility and incompatibility together with the aggravating circumstances of the hostile community and the external temptations of the young wife are all presented in the symbolical way and with the speed and ironical detachment only made possible by the use of farce and puppetry.

It is clear, then, that in writing *La zapatera* in a farcical form, Lorca did not merely intend to write a funny play.

Many critics have underestimated its seriousness. Lorca is not trying to stir our emotions on a tragic scale, but he is discussing serious problems. He does it in this seemingly flippant and dehumanised way in order to break away from the sentimentality and false respectability prevalent at that time in the commercial theatre.

La zapatera prodigiosa is a grotesque and farcical presentation of the theme that Lorca was to treat tragically four years later in *Yerma*. In both plays, a man and wife who are incompatible live together in a small community: a community which believes it knows all about their private life, which misjudges them and aggravates their personal problems by its hostility. Yerma ends this situation by killing her husband; the Zapatera is deprived of her husband for a time, and then finally allies herself with him in self-defence against the attacks of the village.

The theme of sterility and consequent frustration is one which appeared early in Lorca's work and continues right through to the *Casa de Bernarda Alba*. It appears first in his book of *Canciones*, in 1924, in the *Canción del naranjo seco*:

> ... Leñador,
> córtame la sombra.
> Líbrame del suplicio
> de verme sin toronjas.

In both *Yerma* and *La zapatera*, the root of the trouble within the marriage is that the wife has no child. In Yerma's case, there are no children because the husband does not desire them: the Zapatera, on the other hand, has been married only three months, and yet the villagers are already prophesying that she will remain childless. For Yerma, childlessness is the negation of marriage and becomes an overwhelming tragedy. For the Zapatera, the general assumption that she will never have children is only one aspect of the general unsatisfactoriness of her husband. The Zapatera resents her husband and resents the sneers and strictures of society upon what she herself feels to be a preposterous marriage. She is quite sure that she will never be able to love her husband. He is in many ways a sympathetic figure, patient, tender, *honrado*, ready to accept blame himself, and able for the most part to understand and forgive the behaviour of his young wife. But the Zapatera is too young, and emotionally too immature, to appreciate her husband's good qualities. The audience is led to sympathise now with the kindly middle-aged man plagued by a tiresome wife, and now with the young girl whose youth is sacrificed to a tedious and mediocre husband. The Zapatera longs for the lost opportunities of her youth; she feels that life still owes her passionate and romantic adventure, of a kind unlikely to be provided by a humble and hard-working tradesman of fifty-three years of age. Her attitude towards her husband is governed entirely by the resentment she feels at her position, a position for which he is not entirely to blame and which her resentment only makes worse. So by the time the play opens, the Zapatera is already an insufferable termagant. Her bitter tongue and ungovernable temper, together with the humiliating disrespect with which she treats her husband, call down upon her the censure of the whole village.

The Zapatero is in an equally unhappy situation. In some ways, of course, he is more to blame, because he is a mature man, and might have been expected to have had better judgement than to marry the Zapatera. But it becomes clear from his conversation that he is curiously inexperienced, especially with women. He was quite happy as a confirmed bachelor, but the sister who cared for him grew worried since if she died he would be left alone; and she had persuaded him to marry. The Zapatera was at that time destitute and homeless; she was also young and pretty, and so the Zapatero married her. He also had his illusions and clearly expected the younger and prettier woman simply to take the place of his devoted sister. So the Zapatera's disappointment, with her resulting bad temper and deliberate flouting of authority come as a great shock to the Zapatero. At first he is patient. He has married her from good motives (although they might be said to be motives which normally have little to do with marriage), and so he expects that patience and kindness will win her affection. He understands her disappointment in him, sympathises with her illusions and bears no personal malice for her rudeness. But he cannot stand the strain of her constant violence, which makes their marriage the centre of so much public interest. The villagers, who judge everything from a conventional point of view, sympathise with the Zapatero more than with his wife. Yet there is just a hint that they think he is a weakling. The Alcalde advises him to be more severe. But the Zapatero realises that he has never been in love with his wife and that he is unwilling to make further efforts in order to win her. He leaves home in disgust, and it seems that the marriage has ended in disaster.

If the Zapatera had children, of course, the marriage would be justified. A barren marriage in Spain is always regarded with a mixture of contempt and pity. A large family would vindicate the Zapatera in the eyes of the village folk. But already the villagers are quite sure that she will never have a child. The Niño[1] accepts the doll she offers him because he has heard his mother say this and is sure that the childless Zapatera can have no use for the doll. The Zapatera is indignant—her usual reaction is to be indignant. Of course she will have children: "Puede que los tenga más hermosos que todas ellas, y con más arranque y más honra." She never complains about this matter in the play, but her desire for a child is apparent all the time.

The relationship between the Zapatera and the Niño is one of the most important in the whole play. The Niño is the only person she really loves, towards whom she shows any tenderness, and for whose sake she can control her temper. And the Niño loves the Zapatera in return, more than his own mother, as he says himself. The Niño is the only person in the village who dare bring the Zapatera the news of her husband's desertion, and who dare sing to her the *coplas* in which her neighbours gloat over her misfortunes. Again, it is only with the Niño that the Zapatera can share her illusions. Her pursuit of the butterfly with him is, of course, symbolical: the butterfly which incarnates illusory happiness, and which finally eludes them both.

In an article written for *La Nación* just before *La zapatera* was produced in Buenos Aires, Lorca emphasises the importance of illusion in the play. The central conflict within the character of the Zapatera is that between illusion and reality: "Yo quise expresar en mi *Zapatera* . . . la lucha de la

---

[1] Most editions mark the rôle of the child as Niño, in the masculine. In fact, in Lorca's lifetime, the part was always played by a girl, and Lorca himself refers to the character as "una niña pequeña." (*La Nación*, Buenos Aires, November 30th, 1933. *Cf.* Marie Laffranque, *Bulletin Hispanique*, 1956, tome LVIII, pp. 324–6.) It is also more convincing for the child to be a girl if she is to accept a doll from the Zapatera.

realidad con la fantasía ... que existe en el fondo de toda
criatura." And the key to the personality of the Zapatera
lies in her friendship for the innocent Niño, "compendio de
ternura y símbolo de las cosas que están en semilla y tienen
todavía muy lejana su voluntad de flor." After her husband
has gone, the Zapatera begins to create for herself a defensive
illusion of how much she loved him, how he was driven to
leave her by the malice of the village, how faithful she will
be to him, and in short, what a wonderful person he was.
These imaginings become confused with her earlier day-
dreams about the lost suitors of her youth. Once again, the
Niño is the only person with whom she can share these
illusions, and she gives him a completely imaginary account
of how she first met the Zapatero down by the river, finely
dressed in black, with a red silk tie and rings of gold, mounted
on a *jaca blanca*. Lorca explains that this is all wishful
thinking on the part of his heroine: "No ha vivido nunca ni
ha tenido novios nunca más que en la otra orilla, donde no
puede ni podrá nunca llegar." The Zapatera draws most
comfort from her day-dreams when she confides them to the
Niño. This tenderness suppressed in the Zapatera appears
whenever she comes into contact with a young creature. It
is apparent in all her dealings with the Niño, and even when
she sees a flock of sheep passing her window and the shepherd
carelessly allows the sheep to trample on a new lamb.

The Zapatera, then, is deprived of normal emotional out-
lets. She has been cheated of youthful romantic adventure
and therefore places an exaggerated value upon it. She
will not love her husband, and she has no children to love.
But her nervous and emotional energy must find an outlet
somewhere. She becomes aggressive against all those whom

she feels to be hostile to her; she becomes a termagant, spending an excessive amount of energy in quarrelling with the husband she cannot love; and finally, when she is deserted, she takes up a strident defence of her own honour.

Lorca discusses other serious themes in *La zapatera*, apart from those of sterility and unhappy marriage. Closely connected with these is the question of honour, which has been the central theme of so many Spanish tragedies. The Zapatero is quite naturally jealous of his young wife. She knows that she is attractive to other men and does a good deal to provoke her husband by mild flirtations with her many admirers. She draws a revengeful satisfaction from being able to torment her husband in this way, so that he is constantly reminded that she is younger and more attractive than he. The villagers are scandalised and regard this as one further proof that the Zapatera is an undutiful wife. It is this flouting of his authority, combined with her bitter tongue and general lack of respect, which finally drives the Zapatero to desert his wife. Of course, this is not the traditional reaction in a question of honour: a husband made of sterner stuff would have killed his wife, or at least have forced her to behave in a more seemly manner. But after all, *La zapatera* is a farce, and a tragic dénouement is not what the author has in mind. The Zapatera herself is perfectly well aware of what she is doing. She plays with the conventions of honour, but she never puts herself into a position from which retreat is impossible. She infuriates her husband, and she scandalises her neighbours. She is quite unmoved by the dangers of creating gossip, the threat of the "¿qué dirán?". She knows that her neighbours are critical and hostile, and she hates them for it. But she doesn't propose to change her ways to please *them*.

When her husband disappears, of course, the Zapatera becomes responsible for her own honour. She defends it with her accustomed vigour. She turns the old shoemaker's shop into a public tavern. This is a further deliberate flouting of the village's standards of behaviour, for there are many more respectable ways in which she could have earned a living, and none more shocking for a young woman than to run a public tavern on her own. In this way the Zapatera is protesting against the old convention of *honor*. So long as she does in fact lead a decent life, so long as she maintains her own standards of behaviour and can keep her self-respect, she is justified as an individual. She insists on being the final judge of her own moral character. The villagers do gossip about her tavern. Men do come there to make love to her. Curt refusals and stinging answers are all the replies they ever get from the Zapatera's sharp tongue. But they continue to come hopefully to the tavern. Even the Alcalde and Don Mirlo are regular visitors, although the Zapatera treats them with the same brutal frankness as the rest. Her suitors may fight over her in the street, but with the Zapatera herself they make no more progress than in the days of her marriage, when she would only smile at them through a window. Despite her circumstances, she remains essentially innocent, similar in her frankness and candour to the Niño, who is her only intimate friend.

The Zapatera's suitors are the most farcical figures in the play, and it is in them that Lorca's satire is most pointed: the pretentious Don Mirlo, hopping around like a blackbird; the Alcalde whose moral conduct ought to be an example to everybody else in the village. Lorca wishes to show that an unsatisfactory marriage distorts the characters of all those connected with it, and so presents us with slightly ridiculous characters: the tedious husband, the shrewish wife; the malicious Vecinas; the pompous Alcalde, sure that his own past marriages have been a success. Only the Niño is not grotesque in any way, because he represents innocence. He may transmit the malice of the village to the Zapatera, but he is not touched by it himself. He is the only individual whose character is not twisted by the unhappy situation created by the adults around him. In *La zapatera* adult society is condemned. By accepting traditions unthinkingly, and by their own personal conduct, the adults in the play cause themselves a good deal of unhappiness. Only the innocent Niño is not touched by it, does not even perceive it. He is nearer than the adults to the world of make-believe and fantasy. His actions spring only from emotion, and he is not called upon to make adult decisions, which might be right and sensible in an ordinary scale of values, but which to Lorca, as to Cervantes, often appear entirely irrelevant to the real business of living.

The principal characters in *La zapatera* have tragic possibilities and find themselves in a situation which could well become a *pundonor* drama ending in death and destruction. From one point of view, they have much in common with Lorca's tragic figures—particularly those in *Yerma*. The outstanding characteristic they have in common is the simplicity of the conception of their characters. Shakespeare in his tragedies studies his protagonists in great detail, creating each time one unique personage, whose individual twists of character precipitate his ruin. Lorca has less use for the detailed individual portrait: it appears only in his two most romantic plays, *Mariana Pineda* and *Doña Rosita*. More often, Lorca presents us with figures who personify elemental human characteristics and whose tragedy is caused by the interaction of such characteristics with circumstances inimical to their survival. The Zapatero and his wife are characters of this kind. In their own way, in the earlier part of the play, they each personify sterility with the frustrations arising from it. This is the sort of simplicity out of which Lorca later built his most shattering tragedies. But it is also because the Zapatero and his wife are presented in this clear and simple way that they are susceptible of treatment in the manner of farce.

In casting *La zapatera prodigiosa* in the form of farce, Lorca has the best of both worlds. This is not meant to be a realistic play, and so he is able to develop it at great speed. Both background and characters are largely symbolical: they are meant to suggest situations and ideas to the audience, and to stimulate its imagination. This is similar to what Lorca achieved in his poems, which are never filled in with circumstantial and stultifying detail, but which suggest and stimulate, which are full of *evocación*. Lorca does not need to waste time over the slow building-up of character or the detailed filling in of the background. The Zapatero and his wife are symbols of human beings in a certain situation. The audience is quickly made aware of the few facts that it needs to know, and that is all. And so in only two acts Lorca is able to present the breaking up of the marriage, the separation, the final reconciliation, and the reactions of the community to all these events. Again, the themes he has studied are serious ones. But the setting of farce with its additional elements of puppetry enables him to do this in a brisk and amusing manner. The audience is stimulated, entertained, made to think, but not deeply moved. Two men are seriously wounded off stage in a knife fight over the Zapatera. This precipitates the final attack by the villagers, but it has no emotional impact upon the audience at all. The atmosphere of farce allows Lorca to handle serious themes and events full of tragic possibilities in such a way that they are merely lively and amusing. It is obvious from the beginning of the play that, however violent the emotions and actions of the Zapatero and his wife may be, their quarrels will not end in tragedy.

Lorca preserves right up to the end of the play the detached ironical attitude made possible by the use of farce. The Zapatero has returned to his wife. He has forgiven her, and she has forgiven him. But how far is this a true reconciliation? What kind of marriage now exists between them? There are, perhaps, some indications that the marriage has a better chance of success than before. The Zapatero is a home-loving creature, and he had found the life of a wandering showman distasteful and wearisome. He has come back hoping for a reconciliation and is delighted to find that the Zapatera has remained intensely loyal to him. She may still be scandalising the village, but he is now in a better position to appreciate the courage which enables her to defy convention. The Zapatero has always felt a protective tenderness towards his young wife. He had seen, when they were first married, how she fretted after her impossible daydreams, and had done his best to help her to learn how to live with reality. He had come back to the village with the carefully prepared story of the *talabartero*, obviously intending to show her that her illusions could lead only to disaster and that her only chance of real happiness lay in accepting her own husband. But the Zapatero had not realised at first that he too had been hankering after an impossible illusion: a young wife as placid and accommodating as a middle-aged sister. During the separation he has realised that he can only have the Zapatera on her own terms, and he is, in fact, overjoyed to be able to live with her at any price.

The Zapatera is equally delighted to have her husband back. Now she has an ally and protector in her struggle against the village. Yet she will treat her husband in the same way as before: ". . . ¡Corremundos! . . . Qué vida te voy a dar." In short, neither the Zapatero nor his wife has been shown to be either right or wrong, but they have both learned to live with reality. He no longer expects a peaceful home with a submissive wife; she no longer hopes for romantic adventure. They are both eager to return to their former married state although they know it to be full of the difficulties and disadvantages which originally caused them to abandon it. And since the play is a farce, since the characters are almost puppets, Lorca can leave us the problem at the end with detached amusement. What is going to happen to this marriage next? How will these two succeed in their battle against the village? How will they live their new life without their illusions? How far can any human being succeed in creating a tolerable compromise between his personality, his circumstances and his illusions?

The poetry in *La zapatera* presents few difficulties. It amounts in total to only some hundred lines and contains none of the striking images so often found in Lorca's work.

Yet it is not without importance.   It is used to increase the tension at the two most dramatic moments of the play: the moment when the Zapatera learns that her husband has deserted her, and the moment when she is to discover that he has returned.

The first poem, *Mariposa del aire*, is spoken by the Niño. He has come to tell the Zapatera bad news—so bad that no adult dare approach her, and he has been sent instead.   Then the butterfly, a yellow butterfly, flutters into the room.   Two symbolical beings are thus brought together, for the Niño symbolises innocence and the butterfly symbolises illusion. The Niño forgets his message and pursues the butterfly. The Zapatera, who is herself not much more than a child, likewise forgets her anxiety and joins in the pursuit.   The poem is an invocation to the butterfly, repetitive and parallel-istic in form, based on the parallel between the glowing oil-lamp lit by the Zapatera and the butterfly's golden wings.   But of course the Niño and the Zapatera fail to catch it, and when it flies away they return abruptly to reality—and the Zapatera's illusions about marriage are soon seen to have departed with the butterfly.

The poetry in the second act is all spoken by the Zapatero as he presents his puppet-show.   As one would expect from a wandering showman, it is a *romance de ciegos*—still to be heard in remote country districts—narrative in form, and embodying a good deal of direct speech.   The short lines and swift stresses of the *romance* are particularly important in increasing the tension of the play, as they mean that the *romance* can be recited at speed, thus quickening the tempo of the play as well as bringing the events into sharper focus. Like the poem about the butterfly, the Zapatero's *romance* reduplicates the situation of the characters in the play: his puppet plot is deliberately modelled upon the events of his own life. His hero is a leather-worker—in point of fact a saddler, but clearly a person whose work falls into a category similar to that of a shoemaker. He is a long-suffering middle-aged man, tormented by a wife who, like the Zapatera herself, is young, beautiful and discontented. The young wife has a lover, who plots to kill the husband as he comes home one night. As he is describing just how he will stab the old man, screams ring out off stage, and the *romance* is interrupted by a knife-fight in the street over the Zapatera. This naturally brings down upon her the condemnation of the whole village, so that in her distress she is prompted to explain to the unknown *titiritero* how it is that she comes to be living alone with no husband. She expatiates on the virtues of her lost husband and on her love for him, and is contradicted sharply by the *titiritero*. He has now shown that he knows more about the situation than would be possible to a real stranger, and he finally reveals his true identity and is reconciled with his wife. Together they prepare to face the crowd of hostile villagers who had assembled in the Zapatera's tavern to see the puppet-show but are now finally exacerbated against her by the scandalous knife-fight in the street.

In each case, then, the poems in *La zapatera* reflect in miniature the action of the play itself. In this way they make us see the situation in the play more precisely and so increase the dramatic tension just when the emotion is reaching a climax. The action of the last poem both prepares and precipitates the final dénouement of the play.

c

LA ZAPATERA PRODIGIOSA

PERSONAJES

ZAPATERA

VECINA ROJA

VECINA MORADA

VECINA NEGRA

VECINA VERDE

VECINA AMARILLA

BEATA PRIMERA

BEATA SEGUNDA

SACRISTANA

EL AUTOR

ZAPATERO

EL NIÑO

ALCALDE

DON MIRLO

MOZO DE LA FAJA

MOZO DEL SOMBRERO

VECINAS, BEATAS, CURAS Y PUEBLO

NOTE

An asterisk in the text indicates that a word or phrase so marked is dealt with in the Notes at the end of the book.

PRÓLOGO

Cortina gris.   Aparece al autor.   Sale* rápidamente.   Lleva una carta en la mano.

EL AUTOR.   Respetable público . . . (*Pausa.*)   No, respetable público no, público solamente, y no es que el autor no considere al público respetable, todo lo contrario, sino que detrás de esta palabra hay como un delicado temblor de miedo y una especie de súplica para que el auditorio sea generoso con la mímica de los actores y el artificio de ingenio.   El poeta no pide benevolencia, sino atención una vez que ha saltado hace mucho tiempo la barra espinosa de miedo que los autores tienen a la sala. Por este miedo absurdo y por ser el teatro en muchas ocasiones una finanza, la poesía se retira de la escena en busca de otros ambientes donde la gente no se asuste de que un árbol, por ejemplo, se convierta en una bola de humo o de que tres peces, por amor de una mano y una palabra, se conviertan en tres millones de peces para calmar el hambre de una multitud.*   El autor ha preferido poner el ejemplo dramático en el vivo ritmo de una zapaterita popular.   En todos los sitios late y anima la criatura poética que el autor ha vestido de zapatera con aire de refrán o simple romancillo y no se extrañe el público si aparece violenta o toma actitudes agrias porque ella lucha siempre, lucha con la realidad que la cerca y lucha con la fantasía cuando ésta se hace realidad visible.

37

(*Se oyen voces de la Zapatera:* ¡Quiero salir!) ¡Ya voy!
No tengas tanta impacienca en salir; no es un traje de
larga cola y plumas inverosímiles el que sacas, sino un
traje roto, ¿lo oyes?, un traje de zapatera. (*Voz de la
Zapatera dentro:* ¡Quiero salir!) ¡Silencio! (*Se descorre
la cortina y aparece el decorado con tenue luz.*) También
amanece así todos los días sobre las ciudades, y el público
olvida su medio mundo de sueño para entrar en los
mercados como tú en tu casa, en la escena, zapaterilla
prodigiosa.* (*Va creciendo la luz.*) A empezar, tú llegas
de la calle. (*Se oyen las voces que pelean. Al público.*)
Buenas noches. (*Se quita el sombrero de copa y éste se
ilumina por dentro con una luz verde, el autor lo inclina y sale
de él un chorro de agua. El autor mira un poco cohibido al
público y se retira de espaldas lleno de ironía.*) Ustedes
perdonen.

Sale.

ACTO PRIMERO

Casa del Zapatero. Banquillo y herramientas. Habitación completament blanca. Gran ventana y puerta. El foro es una calle también blanca con algunas puertecitas y ventanas en gris. A derecha e izquierda, puertas. Toda la escena tendrá un aire de optimismo y alegría exaltada en los más pequeños detalles. Una suave luz naranja de media tarde invade la escena.

Al levantarse el telón la Zapatera viene de la calle toda furiosa y se detiene en la puerta. Viste un traje verde rabioso* y lleva el pelo tirante, adornado con dos grandes rosas. Tiene un aire agreste y dulce al mismo tiempo.

ZAPATERA. Cállate, larga de lengua, penacho de catalineta,* que si yo lo he hecho . . . si yo lo he hecho, ha sido por mi propio gusto . . . Si no te metes dentro de tu casa te hubiera arrastrado,* viborilla empolvada; y esto lo digo para que me oigan todas las que están detrás de las ventanas. Que más vale estar casada con un viejo, que con un tuerto, como tú estás. Y no quiero más conversación, ni contigo ni con nadie, ni con nadie, ni con nadie. (*Entra dando un fuerte portazo.*) Ya sabía yo que con esta clase de gente no se podía hablar ni un segundo . . . pero la culpa la tengo yo, yo y yo . . . que debía estarme en mi casa con . . . casi no quiero creerlo, con mi marido. Quién me hubiera dicho a mí, rubia con los ojos negros, que hay que ver el mérito que esto tiene, con este talle y estos colores tan hermosísimos, que me iba a ver casada con . . . me tiraría

39

del pelo.* (*Llora, Llaman a la puerta.*)   ¿Quién es? (*No responden y llaman otra vez.*)   ¿Quién es? (*Enfurecida.*)

Niño, *temerosamente.*   Gente de paz.*   — Friend

Zapatera, *abriendo.*   ¿Eres tú? (*Melosa y conmovida.*)

Niño.   Sí, señora Zapaterita.   ¿Estaba usted llorando?

Zapatera.   No, es que un mosco de esos que hacen piiiii, me ha picado en este ojo.

Niño   ¿Quiere usted que le sople?*

Zapatera.   No, hijo mío, ya se me ha pasado* ... (*Le acaricia.*)   ¿Y qué es lo que quieres?

Niño.   Vengo con estos zapatos de charol, costaron cinco duros, para que los arregle su marido.   Son de mi hermana la grande, la que tiene el cutis fino y se pone dos lazos, que tiene dos, un día uno y otro día otro, en la cintura.

Zapatera.   Déjalos ahí, ya los arreglarán.

Niño.   Dice mi madre que tenga cuidado de no darles muchos martillazos, que el charol es muy delicado, para que no se estropee el charol.

Zapatera.   Dile a tu madre que ya sabe mi marido lo que tiene que hacer, y que así supiera ella aliñar con laurel y pimienta un buen guiso como mi marido componer zapatos.*

Niño, *haciendo pucheros.*   No se disguste usted conmigo, que yo no tengo la culpa y todos los días estudio muy bien la gramática.

ZAPATERA, *dulce.* ¡Hijo mío! ¡Prenda mía! ¡Si contigo no es nada!* (*Lo besa.*) Toma este muñequito,* ¿te gusta? Pues llévatelo.

NIÑO. Me lo llevaré, porque como yo sé que usted no tendrá nunca niños...

ZAPATERA. ¿Quién te dijo eso?

NIÑO. Mi madre lo hablaba el otro día, diciendo: la zapatera no tendrá hijos, y se reían mis hermanas y la comadre Rafaela.

ZAPATERA, *nerviosamente.* ¿Hijos? Puede que los tenga más hermosos que todas ellas y con más arranque y más honra, porque tu madre... es menester que sepas...

NIÑO. Tome usted el muñequito, ¡no lo quiero!

ZAPATERA, *reaccionando.* No, no, guárdalo, hijo mío... ¡Si contigo no es nada!

Aparece por la izquierda el Zapatero. Viste traje de terciopelo con botones de plata, pantalón corto y corbata roja. Se dirige al banquillo.

ZAPATERA. ¡Válgate Dios!*

NIÑO. ¡Ustedes se conserven bien! ¡Hasta la vista! ¡Que sea enhorabuena! ¡Deo gratias!*

Sale corriendo por la calle.

ZAPATERA. Adiós, hijito. Si hubieras reventado antes de nacer,* no estaría pasando estos trabajos y estas tribulaciones. ¡Ay dinero, dinero!, sin manos y sin ojos debería haberse quedado el que te inventó.

ZAPATERO, *en el banquillo.* Mujer, ¿qué estás diciendo? ...

ZAPATERA. ¡Lo que a ti no te importa!

ZAPATERO. A mí no me importa nada de nada. Ya sé que tengo que aguantarme.

ZAPATERA. También me aguanto yo ... piensa que tengo dieciocho años.

ZAPATERO. Y yo ... cincuenta y tres. Por eso me callo y no me disgusto contigo ... ¡demasiado sé yo! ... Trabajo para ti ... y sea lo que Dios quiera ...

ZAPATERA, *está de espaldas a su marido y se vuelve y avanza tierna y conmovida.* Eso no, hijo mío ... ¡no digas ...!

ZAPATERO. Pero, ¡ay, si tuviera cuarenta años o cuarenta y cinco, siquiera! ...
Golpea furiosamente un zapato con el martillo.

ZAPATERA, *enardecida.* Entonces yo sería tu criada, ¿no es esto? Si una no puede ser buena ...* ¿Y yo?, ¿es que no valgo nada?

ZAPATERO. Mujer ... repórtate.

ZAPATERA. ¿Es que mi frescura y mi cara no valen todos los dineros de este mundo?

ZAPATERO. Mujer ... ¡que te van a oír los vecinos!

ZAPATERA. Maldita hora, maldita hora, en que le hice caso a mi compadre Manuel.

ZAPATERO. ¿Quieres que te eche un refresquito de limón?

ZAPATERA. ¡Ay, tonta, tonta, tonta! (*Se golpea la frente.*) Con tan buenos pretendientes como yo he tenido.

ZAPATERO, *queriendo suavizar.* Eso dice la gente.

ZAPATERA. ¿La gente? Por todas partes se sabe. Lo mejor de estas vegas. Pero el que más me gustaba a mí de todos era Emiliano... tú lo conociste... Emiliano, que venía montado en una jaca negra, llena de borlas y espejitos, con una varilla de mimbre en su mano y las espuelas de cobre reluciente. ¡Y qué capa traía por el invierno! ¡Qué vueltas de pana azul y qué agremanes de seda!

ZAPATERO. Así tuve yo una también... son unas capas preciosísimas.

ZAPATERA. ¿Tú? ¡Tú qué ibas a tener!*... Pero, ¿por qué te haces ilusiones? Un zapatero no se ha puesto en su vida una prenda de esa clase...

ZAPATERO. Pero, mujer, ¿no estás viendo?...

ZAPATERA, *interrumpiéndole.* También tuve otro pretendiente... (*El Zapatero golpea fuertemente el zapato.*) Aquél era medio señorito... tendría dieciocho años, ¡se dice muy pronto! ¡Dieciocho años!

El Zapatero se revuelve inquieto.

ZAPATERO. También los tuve yo.*

ZAPATERA. Tú no has tenido en tu vida dieciocho años... Aquél sí que los tenía y me decía unas cosas... Verás*...

ZAPATERO, *golpeando furioso.* ¿Te quieres callar? Eres mi mujer, quieras o no quieras, y yo soy tu esposo. Estabas pereciendo, sin camisa, ni hogar. ¿Por qué me has querido? ¡Fantasiosa, fantasiosa, fantasiosa!

ZAPATERA, *levantándose.* ¡Cállate! No me hagas hablar más de lo prudente y ponte a tu obligación. ¡Parece mentira!* (*Dos vecinas con mantilla cruzan la ventana sonriendo.*) ¿Quién me lo iba a decir, viejo pellejo, que me ibas* a dar tal pago? ¡Pégame, si te parece, anda, tírame el martillo!

ZAPATERO.   Ay, mujer... no me dés escándalos, ¡mira que viene la gente! ¡Ay, Dios mío!

Las dos vecinas vuelven a cruzar.

ZAPATERA.   Yo me he rebajado. ¡Tonta, tonta, tonta! Maldito sea mi compadre Manuel, malditos sean los vecinos, tonta, tonta, tonta.

Sale golpeándose la cabeza.

ZAPATERO, *mirándose en un espejo y contándose las arrugas.* Una, dos, tres, cuatro... y mil. (*Guarda el espejo.*)   Pero me está muy bien empleado, sí, señor.   Porque vamos a ver: ¿por qué me habré casado?   Yo debí haber comprendido, después de leer tantas novelas, que las mujeres les gustan a todos los hombres, pero todos los hombres no les gustan a todas las mujeres.   ¡Con lo bien que yo estaba!   ¡Mi hermana, mi hermana tiene la culpa, mi hermana que se empeñó: « que si te vas a quedar solo », que si qué sé yo!*   Y esto es mi ruina.   ¡Mal rayo parta a mi hermana, que en paz descanse!*   (*Fuera se oyen voces.*) ¿Qué será?

VECINA ROJA, *en la ventana y con gran brío.*   La acompañan sus hijas vestidas del mismo color.   Buenas tardes.

ZAPATERO, *rascándose la cabeza.*   Buenas tardes.

VECINA. Dile a tu mujer que salga. Niñas, ¿queréis no llorar más? ¡Que salga, a ver si por delante de mí casca tanto como por detrás!

ZAPATERO. ¡Ay, vecina de mi alma, no me dé usted escándalos, por los clavitos de Nuestro Señor!* ¿Qué quiere usted que yo le haga? Pero comprenda mi situación: toda la vida temiendo casarme ... porque casarse es una cosa muy seria, y, a última hora, ya lo está usted viendo.

VECINA. ¡Qué lástima de hombre! ¡Cuánto mejor le hubiera ido a usted casado con gente de su clase! ... estas niñas, pongo por caso,* u otras del pueblo ...

ZAPATERO. Y mi casa no es casa. ¡Es un guirigay!

VECINA. ¡Se arranca el alma! Tan buenísima sombra como ha tenido usted toda su vida.*

ZAPATERO, *mira por si viene su mujer.* Anteayer ... despedazó el jamón que teníamos guardado para estas Pascuas y nos lo comimos entero. Ayer estuvimos todo el día con unas sopas de huevo y perejil: bueno, pues porque protesté de esto, me hizo beber tres vasos seguidos de leche sin hervir.*

VECINA. ¡Qué fiera!

ZAPATERO. Así es, vecinita de mi corazón, que le agradecería en el alma que se retirase.

VECINA. ¡Ay, si viviera su hermana! Aquélla sí que era ...

ZAPATERO. Ya ves ... y de camino llévate tus zapatos que están arreglados.

Por la puerta de la izquierda asoma la Zapatera, que detrás de la cortina espía la escena sin ser vista.

VECINA, *mimosa.* ¿Cuánto me vas a llevar por ellos? ...
Los tiempos van cada vez peor.

ZAPATERO.   Lo que tú quieras ... Ni que tire por allí ni
que tire por aquí*. ...

VECINA, *dando en el codo a sus hijas.* ¿Están bien en dos
pesetas?*

ZAPATERO.   ¡Tú dirás!

VECINA.   Vaya ... te daré una ...

ZAPATERA, *saliendo furiosa.* ¡Ladrona! (*Las mujeres chillan y
se asustan.*) ¿Tienes valor de robar a este hombre de esa
manera? (*A su marido.*) Y tú, ¿dejarte robar? Vengan
los zapatos.* Mientras no nos des por ellos diez pesetas,
aquí se quedan.

VECINA.   ¡Lagarta, lagarta!*

ZAPATERA.   ¡Mucho cuidado con lo que estás diciendo!

NIÑAS.   ¡Ay, vámonos, vámonos, por Dios!

VECINA.   Bien despachado vas de mujer, ¡que te aproveche!*

*Se van rápidamente. El Zapatero cierra la ventana y la
puerta.*

ZAPATERO.   Escúchame un momento ...

ZAPATERA, *recordando.* Lagarta ... lagarta ... qué, qué,
qué ... ¿qué me vas a decir?

ZAPATERO.   Mira, hija mía. Toda mi vida ha sido en mí una
verdadera preocupación evitar el escándalo.

El Zapatero traga constantemente saliva.

ZAPATERA. ¿Pero tienes el valor de llamarme escandalosa, cuando he salido a defender tu dinero?

ZAPATERO. Yo no te digo más, que he huído de los escándalos, como las salamanquesas del agua fría.*

ZAPATERA, *rápido*. ¡Salamanquesas! ¡Ay, qué asco!

ZAPATERO, *armado de paciencia*. Me han provocado, me han, a veces, hasta insultado, y no teniendo ni tanto así* de cobarde he quedado sin alma en mi almario,* por el miedo de verme rodeado de gentes y llevado y traído por comadres y desocupados. De modo que ya lo sabes. ¿He hablado bien? Ésta es mi última palabra.

ZAPATERA. Pero vamos a ver, ¿a mí qué me importa todo eso? Me casé contigo, ¿no tienes la casa limpia? ¿No comes? ¿No te pones cuellos y puños que en tu vida te los habías puesto? ¿No llevas tu reloj, tan hermoso, con cadena de plata y venturinas, al que te doy cuerda todas las noches? ¿Qué más quieres? Porque, yo, todo; menos esclava. Quiero hacer siempre mi santa voluntad.*

ZAPATERO. No me digas... tres meses llevamos de casados, yo, queriéndote... y tú, poniéndome verde. ¿No ves que ya no estoy para bromas?

ZAPATERA, *seria y como soñando*. Queriéndome, queriéndome... Pero (*brusca*) ¿qué es eso de queriéndome? ¿Qué es queriéndome?

ZAPATERO. Tú te creerás que yo no tengo vista y tengo. Sé lo que haces y lo que no haces, y ya estoy colmado, ¡hasta aquí!*

ZAPATERA, *fiera.* Pues lo mismo se me da a mí que estés colmado como que no estés, porque tú me importas tres pitos,* ¡ya lo sabes!

Llora.

ZAPATERO.   ¿No puedes hablarme un poquito más bajo?

ZAPATERA.   Merecías, por tonto, que colmara la calle a gritos.

ZAPATERO.   Afortunadamente creo que esto se acabará pronto; porque yo no sé cómo tengo paciencia.

ZAPATERA.   Hoy no comemos ... de manera que ya te puedes buscar la comida por otro sitio.

La Zapatera sale rápidamente hecha una furia.

ZAPATERO.   Mañana (*sonriendo*) quizá la tengas que buscar tú también.

Se va al banquillo.

Por la puerta central aparece el Alcalde. Viste de azul oscuro, gran capa y larga vara de mando rematada con cabos de plata. Habla despacio y con gran sorna.

ALCALDE.   ¿En el trabajo?

ZAPATERO.   En el trabajo, señor Alcalde.

ALCALDE.   ¿Mucho dinero?

ZAPATERO.   El suficiente.

El Zapatero sigue trabajando. El Alcalde mira curiosamente a todos lados.

ALCALDE.   Tú no estás bueno.

ZAPATERO, *sin levantar la cabeza*. No.

ALCALDE. ¿La mujer?

ZAPATERO, *asintiendo*. ¡La mujer!

ALCALDE, *sentándose*. Eso tiene casarse a tu edad*... A tu edad se debe ya estar viudo... de una, como mínimum... Yo estoy de cuatro: Rosa, Manuela, Visitación y Enriqueta Gómez, que ha sido la última: buenas mozas todas, aficionadas al baile y al agua limpia. Todas sin excepción, han probado esta vara repetidas veces. En mi casa... en mi casa, coser y cantar.*

ZAPATERO. Pues ya está usted viendo qué vida la mía. Mi mujer... no me quiere. Habla por la ventana con todos. Hasta con don Mirlo, y a mí se me está encendiendo la sangre.

ALCALDE, *riendo*. Es que ella es una chiquilla alegre, eso es natural.

ZAPATERO. ¡Ca! Estoy convencido... yo creo que esto lo hace por atormentarme; porque, estoy seguro..., ella me odia. Al principio creí que la dominaría con mi carácter dulzón y mis regalillos: collares de coral, cintillos, peinetas de concha... ¡hasta unas ligas! Pero ella... ¡siempre es ella!

ALCALDE. Y tú, siempre tú; ¡qué demonio! Vamos, lo estoy viendo y me parece mentira cómo un hombre, lo que se dice un hombre,* no puede meter en cintura, no una, sino ochenta hembras. Si tu mujer habla por la ventana con todos, si tu mujer se pone agria contigo, es porque tú quieres, porque tú no tienes arranque. A las

D

mujeres buenos apretones en la cintura, pisadas fuertes y la voz siempre en alto, y si con esto se atreven a hacer kiki-rikí,* la vara, no hay otro remedio. Rosa, Manuela, Visitación y Enriqueta Gómez, que ha sido la última, te lo pueden decir desde la otra vida, si es que por casualidad están allí.

ZAPATERO.   Pero si el caso es que no me atrevo a decirle una cosa.

Mira con recelo.

ALCALDE, *autoritario.*   Dímela.

ZAPATERO.   Comprendo que es una barbaridad ... pero, yo no estoy enamorado de mi mujer.

ALCALDE.   ¡Demonio!

ZAPATERO.   Sí, señor, ¡demonio!

ALCALDE.   Entonces, grandísimo tunante, ¿por qué te has casado?

ZAPATERO.   Ahí lo tiene usted. Yo no me lo explico tampoco. Mi hermana, mi hermana tiene la culpa. Que si te vas a quedar solo, que si qué sé yo, que si qué sé yo cuántos.* Yo tenía dinerillos, salud, y dije: ¡allá voy! Pero, benditísima soledad antigua. ¡Mal rayo parta a mi hermana, que en paz descanse!

ALCALDE.   ¡Pues te has lucido!

ZAPATERO.   Sí, señor, me he lucido ... Ahora, que yo no aguanto más. Yo no sabía lo que era una mujer. Digo, ¡usted, cuatro! Yo no tengo edad para resistir este jaleo.

ZAPATERA, *cantando, dentro, fuerte.*

> ¡Ay, jaleo, jaleo,
> ya se acabó el alboroto
> y vamos al tiroteo!

ZAPATERO. Ya lo está usted oyendo.

ALCALDE. ¿Y qué piensas hacer?

ZAPATERO. Cuca silvana.*

Hace un ademán.

ALCALDE. ¿Se te ha vuelto el juicio?

ZAPATERO, *excitado.* El zapatero a tus zapatos* se acabó para mí. Yo soy un hombre pacífico. Yo no estoy acostumbrado a estos voceríos y a estar en lenguas de todos.*

ALCALDE, *riéndose.* Recapacita lo que has dicho que vas a hacer; que tú eres capaz de hacerlo, y no seas tonto. Es una lástima que un hombre como tú no tenga el carácter que debías tener.

Por la puerta de la izquierda aparece la Zapatera echándose polvos con una polvera rosa y limpiándose las cejas.

ZAPATERA. Buenas tardes.

ALCALDE. Muy buenas. (*Al Zapatero.*) ¡Como guapa, es guapísima!

ZAPATERO. ¿Usted cree?

ALCALDE. ¡Qué rosas tan bien puestas lleva usted en el pelo y qué bien huelen!

ZAPATERA. Muchas que tiene usted en los balcones de su casa.

ALCALDE. Efectivamente. ¿Le gustan a usted las flores?

ZAPATERA. ¿A mí?... ¡Ay, me encantan! Hasta en el tejado tendría yo macetas, en la puerta, por las paredes. Pero a éste... a ése... no le gustan. Claro, toda la vida haciendo botas, ¡qué quiere usted! (*Se sienta en la ventana.*) Y buenas tardes.

> *Mira a la calle y coquetea.*

ZAPATERO. ¿Lo ve usted?

ALCALDE. Un poco brusca... pero es una mujer guapísima. ¡Que cintura tan ideal!

ZAPATERO. No la conoce usted.

ALCALDE. ¡Psch! (*Saliendo majestuosamente.*) ¡Hasta mañana! Y a ver si se despeja esa cabeza. ¡A descansar, niña! ¡Qué lástima de talle!* (*Vase mirando a la Zapatera.*) ¡Porque, vamos! ¡Y hay que ver qué ondas en el pelo!

> *Sale.*

ZAPATERO, *cantando.*

> Si tu madre tiene un rey,
> la baraja tiene cuatro:
> rey de oros, rey de copas,
> rey de espadas, rey de bastos.*

La Zapatera coge una silla y sentada en la ventana empieza a darle vueltas.

ZAPATERO, *cogiendo otra silla y dándole vueltas en sentido contrario.* Si sabes que tengo esa superstición,* y para mí esto es como si me dieras un tiro, ¿por qué lo haces?

ZAPATERA, *soltando la silla.* ¿Qué he hecho yo? ¿No te digo que no me dejas ni moverme?

ZAPATERO.   Ya estoy harto de explicarte ... pero es inútil. (*Va a hacer mutis, pero la Zapatera empieza otra vez y el Zapatero viene corriendo desde la puerta y da vueltas a su silla.*) ¿Por qué no me dejas marchar, mujer?

ZAPATERA.   ¡Jesús!, pero si lo que yo estoy deseando es que te vayas.

ZAPATERO.   ¡Pues déjame!

ZAPATERA, *enfurecida*.   ¡Pues vete!

Fuera se oye una flauta acompañada de guitarra que toca una polquita antigua con el ritmo cómicamente acusado.   La Zapatera empieza a llevar el compás con la cabeza y el Zapatero huye por la izquierda.

ZATAPERA, *cantando*.   Larán ... larán ...   A mí, es que la flauta me ha gustado siempre mucho ...   Yo siempre he tenido delirio por ella ...   Casi se me saltan las lágrimas ... ¡Qué primor!   Larán, larán ...   Oye ...   Me gustaría que él la oyera ...   (*Se levanta y se pone a bailar como si lo hiciera con novios imaginarios.*)   ¡Ay, Emiliano!   Qué cintillos tan preciosos llevas ...   No, no ...   Me da vergüencilla ...   Pero, José María, ¿no ves que nos están viendo?   Coge un pañuelo, que no quiero que me manches el vestido.   A ti te quiero, a ti ...   ¡Ah, sí! ... mañana que traigas la jaca blanca, la que a mí me gusta. (*Ríe. Cesa la música.*)   ¡Qué mala sombra!   Esto es dejar a una con la miel en los labios ...   Qué ...

Aparece en la ventana Don Mirlo.   Viste de negro, frac y pantalón corto.   Le tiembla la voz y mueve la cabeza como un muñeco de alambre.

MIRLO.   ¡Chisssssss!

ZAPATERA, *sin mirar y vuelta de espalda a la ventana.* Pin, pin, pío, pío, pío.*

MIRLO, *acercándose más.* ¡Chisss! Zapaterilla blanca, como el corazón de las almendras, pero amargosilla también. Zapaterita ... junco de oro encendido ... Zapaterita, bella Otero* de mi corazón.

ZAPATERA. Cuánta cosa, don Mirlo; a mí me parecía imposible que los pajarracos hablaran. Pero si anda por ahí revoloteando un mirlo negro, negro y viejo ... sepa que yo no puedo oírle cantar hasta más tarde ... pin, pío, pío, pío.

MIRLO. Cuando las sombras crepusculares invadan con sus tenues velos el mundo y la vía pública se halle libre de transeúntes, volveré.

Toma rapé y estornuda sobre el cuello de la Zapatera.

ZAPATERA, *volviéndose airada y pegando a don Mirlo, que tiembla.* ¡Aaaa! (*Con cara de asco.*) ¡Y aunque no vuelvas,* indecente! Mirlo de alambre, garabato de candil ... Corre, corre ... ¿Se habrá visto?* ¡Mira que estornudar! ¡Vaya mucho con Dios! ¡Qué asco!

En la ventana se para el Mozo de la faja. Tiene el sombrero plano echado a la cara y da pruebas de gran pesadumbre.*

MOZO. ¿Se toma el fresco, zapaterita?

ZAPATERA. Exactamente igual que usted.

MOZO. Y siempre sola ... ¡Qué lástima!

ZAPATERA, *agria.* ¿Y por qué, lástima?

MOZO. Una mujer como usted, con ese pelo y esa pechera tan hermosísima ...

ZAPATERA, *más agria*. Pero, ¿por qué lástima?

MOZO. Porque usted es digna de estar pintada en las tarjetas postales y no aquí ... este portalillo.

ZAPATERA. ¿Sí? ... A mí las tarjetas postales me gustan mucho, sobre todo las de novios que se van de viaje ...

MOZO. ¡Ay, zapaterita, qué calentura tengo!

Siguen hablando.

ZAPATERO, *entrando y retrocediendo*. ¡Con todo el mundo y a estas horas! ¡Qué dirán los que vengan al rosario de la iglesia! ¡Qué dirán en el casino! ¡Me estarán poniendo! ... En cada casa un traje con ropa interior y todo* (*Zapatera ríe*). ¡Ay, Dios mío! ¡Tengo razón para marcharme! Quisiera oír a la mujer del sacristán, pues ¿y los curas? ¿Qué dirán los curas? Eso será lo que habrá que oír.

Entre desesperado.

MOZO. ¿Cómo quiere que se lo exprese? ... Yo la quiero, te quiero como ...

ZAPATERA. Verdaderamente eso de « la quiero », « te quiero », suena de un modo que parece que me están haciendo cosquillas con una pluma detrás de las orejas. Te quiero, la quiero ...

MOZO. ¿Cuántas semillas tiene el girasol?

ZAPATERA. ¡Yo qué sé!

MOZO. Tantos suspiros doy cada minuto por usted, por ti ... (*Muy cerca.*)

ZAPATERA, *brusca*. Estate quieto. Yo puedo oírte hablar porque me gusta y es bonito, pero nada más, ¿lo oyes? ¡Estaría bueno!*

MOZO. Pero eso no puede ser. ¿Es que tienes otro compromiso?

ZAPATERA. Mira, vete.

MOZO. No me muevo de este sitio sin el sí. ¡Ay, mi zapaterita, dame tu palabra!

Va a abrazarla.

ZAPATERA, *cerrando violentamente la ventana*. ¡Pero qué impertinente, qué loco!... ¡Si te he hecho daño te aguantas!... Como si yo no estuviera aquí más que paraaa, paraaa... ¿Es que en este pueblo no puede una hablar con nadie? Por lo que veo, en este pueblo no hay más que dos extremos: o monja o trapo de fregar... ¡Era lo que me quedaba que ver! (*Haciendo como que huele y echando a correr.*) ¿Ay, mi comida que está en la lumbre! ¡Mujer ruin!

La luz se va marchando. El Zapatero sale con una gran capa y un bulto de ropa en la mano.

ZAPATERO. ¡O soy otro hombre o no me conozco! ¡Ay, casita mía! ¡Ay, banquillo mío! Cerote, clavos, pieles de becerro... Bueno.

Se dirige hacia la puerta y retrocede, pues se topa con dos beatas en el mismo quicio.

BEATA PRIMERA. Descansando, ¿verdad?

BEATA SEGUNDA. ¡Hace usted bien en descansar!

ZAPATERO, *de mal humor*. ¡Buenas noches!

BEATA PRIMERA. A descansar, maestro.*

BEATA SEGUNDA. ¡A descansar, a descansar!

Se van.

ZAPATERO. Sí, descansando... ¡Pues no estaban mirando por el ojo de la llave! ¡Brujas, sayonas! ¡Cuidado con el retintín con que me lo han dicho! Claro... si en todo el pueblo no se hablará de otra cosa: ¡que si yo, que si ella, que si los mozos! ¡Ay! ¡Mal rayo parta a mi hermana que en paz descanse! ¡Pero primero solo que señalado por el dedo de los demás!*

Sale rápidamente y deja la puerta abierta. Por la izquierda aparece la Zapatera.

ZAPATERA. Ya está la comida... ¿me estás oyendo? (*Avanza hacia la puerta de la derecha.*) ¿Me estás oyendo? Pero ¿habrá tenido el valor de marcharse al cafetín, dejando la puerta abierta... y sin haber terminado los borceguíes? Pues cuando vuelva ¡me oirá! ¡Me tiene que oír! ¡Qué hombres son los hombres, qué abusivos y que... que... vaya!... (*En un repeluzno.*) ¡Ay, qué fresquito hace! (*Se pone a encender el candil y de la calle llega el ruido de las esquilas de los rebaños que vuelven al pueblo. La Zapatera se asoma a la ventana.*) ¡Qué primor de rebaños! Lo que es a mí, me chalan las ovejitas.* Mira, mira... aquella blanca tan chiquita que casi no puede andar. ¡Ay!... Pero aquella grandota y antipática se empeña en pisarla y nada*... (*A voces.*) Pastor, ¡asombrado! ¿No estás viendo que te pisotean la oveja recién nacida? (*Pausa.*) Pues claro que me importa... ¿No ha de importarme? ¡Brutísimo!... Y mucho...

(*Se quita de la ventana.*)   Pero, señor, ¿adónde habrá ido este hombre desnortado? Pues si tarda siquiera dos minutos más, como yo sola, que me basto y me sobro... ¡Con la comida tan buena que he preparado!... Mi cocido, con sus patatas de la sierra, dos pimientos verdes, pan blanco, un poquito magro de tocino, y arrope con calabaza y cáscara de limón para encima, ¡porque lo que es cuidarlo, lo que es cuidarlo, lo estoy cuidando a mano!

Durante todo este monólogo da muestras de gran actividad, moviéndose de un lado para otro, arreglando las sillas, despabilando el velón y quitándose motas del vestido.

Niño, *en la puerta.*   ¿Estas disgustada, todavía?

Zapatera.   Primorcito de su vecino, ¿dónde vas?

Niño, *en la puerta.*   Tú no me regañarás, ¿verdad?, porque a mi madre que algunas veces me pega, la quiero veinte arrobas, pero a ti te quiero treinta y dos y media...

Zapatera.   ¿Por qué eres tan precioso?

Sienta al Niño en sus rodillas.

Niño.   Yo venía a decirte una cosa que nadie quiere decirte. Ve tú, ve tú, ve tú, y nadie quería y entonces, «que vaya el niño», dijeron... porque era un notición que nadie quiere dar.

Zapatera.   Pero dímelo pronto, ¿qué ha pasado?

Niño.   No te asustes, que de muertos no es.

Zapatera.   ¡Anda!

Niño.   Mira, zapaterita... (*Por la ventana entra una mariposa y el Niño bajándose de las rodillas de la Zapatera echa a correr.*)   Una mariposa, una mariposa . . .   ¿No tienes un sombrero? . . .   Es amarilla, con pintas azules y rojas . . . y, ¡qué sé yo! . . .

ZAPATERA.   Pero, hijo mío, . . . ¿quieres? . . .

NIÑO, *enérgico.*   Cállate y habla en voz baja, ¿no ves que se espanta si no? ¡Ay! ¡Dame tu pañuelo!

ZAPATERA, *intrigada ya en la caza.*   Tómalo.

NIÑO. ¡Chis! . . .   No pises fuerte.

ZAPATERA.   Lograrás que se escape.

NIÑO, *en voz baja y como encantando a la mariposa, canta.*

> Mariposa del aire,
> qué hermosa eres,
> mariposa del aire
> dorada y verde.
> Luz de candil,
> mariposa del aire,
> ¡quédate ahí, ahí, ahí! . . .
> No te quieres parar,
> pararte no quieres.
> Mariposa del aire
> dorada y verde.
> Luz de candil,
> mariposa del aire,
> ¡quédate ahí, ahí, ahí! . . .
> ¡Quédate ahí!
> Mariposa, ¿estás ahí?

ZAPATERA, *en broma.*   Síííí.

NIÑO.   No, eso no vale.

> *La mariposa vuela.*

ZAPATERA. ¡Ahora! ¡Ahora!

NIÑO, *corriendo alegremente con el pañuelo.* ¿No te quieres parar? ¿No quieres dejar de volar?

ZAPATERA, *corriendo también por otro lado.* ¡Que se escapa, que se escapa!

El Niño sale corriendo por la puerta persiguiendo a la mariposa.

ZAPATERA, *enérgica.* ¿Dónde vas?

NIÑO, *suspenso.* ¡Es verdad! (*Rápido.*) ¿Pero yo no tengo la culpa!

ZAPATERA. ¡Vamos! ¿Quieres decirme lo que pasa? ¡Pronto!

NIÑO. ¡Ay! Pues, mira ... tu marido, el zapatero, se ha ido para no volver más.

ZAPATERA, *aterrada.* ¿Cómo?

NIÑO. Sí, sí, eso ha dicho en casa antes de montarse en la diligencia, que lo he visto yo ... y nos encargó que te lo dijéramos y ya lo sabe todo el pueblo ...

ZAPATERA, *sentándose desplomada.* ¡No es posible, esto no es posible! ¡Yo no lo creo!

NIÑO. ¡Sí que es verdad, no me regañes!

ZAPATERA, *levantándose hecha una furia y dando fuertes pisotadas en el suelo.* ¿Y me da este pago? ¿Y me da este pago?
El Niño se refugia detrás de la mesa.

NIÑO. ¡Que se caen las horquillas!

ZAPATERA. ¿Qué va a ser de mí sola en esta vida? ¡Ay, ay, ay! (*El Niño sale corriendo. La ventana y las puertas están llenas de vecinos.*) Sí, sí, venid a verme, cascantes, comadricas, por vuestra culpa ha sido . . .

ALCALDE. Mira, ya te estás callando. Si tu marido te ha dejado ha sido porque no lo querías, porque no podía ser.*

ZAPATERA. ¿Pero lo van a saber ustedes mejor que yo? Sí, lo quería, vaya si lo quería, que pretendientes buenos y muy riquísimos he tenido y no les he dado el sí jamás. ¡Ay, pobrecito mío, qué cosas te habrán contado!

SACRISTANA, *entrando.* Mujer, repórtate.

ZAPATERA. No me resigno. No me resigno. ¡Ay, ay!

Por la puerta empiezan a entrar vecinas vestidas con colores violentos y que llevan grandes vasos de refrescos. Giran, corren, entran y salen alrededor de la Zapatera que está sentada gritando, con la prontitud y ritmo de baile. Las grandes faldas se abren a las vueltas que dan. Todos adoptan una actitud cómica de pena.

VECINA AMARILLA. Un refresco.

VECINA ROJA. Un refresquito.

VECINA VERDE. Para la sangre.

VECINA NEGRA. De limón.

VECINA MORADA. De zarzaparilla.

VECINA ROJA. La menta es mejor.

VECINA MORADA. Vecina.

VECINA VERDE. Vecinita.

VECINA NEGRA. Zapatera.

VECINA ROJA. Zapaterita.

Las vecinas arman gran algazara. La Zapatera llora a gritos.

TELÓN

ACTO SEGUNDO

La misma decoración. A la izquierda, el banquillo arrumbado. A la derecha, un mostrador con botellas y un lebrillo con agua donde la Zapatera friega las copas. La Zapatera está detrás del mostrador. Viste un traje rojo encendido, con amplias faldas y los brazos al aire. En la escena, dos mesas. En una de ellas está sentado Don Mirlo, que toma un refresco y en la otra el Mozo del sombrero en la cara.

La Zapatera friega con gran ardor vasos y copas que va colocando en el mostrador. Aparece en la puerta el Mozo de la faja y el sombrero plano del primer acto. Está triste. Lleva los brazos caídos y mira de manera tierna a la Zapatera. Al actor que exagere lo más mínimo en este tipo, debe el director de escena darle un bastonazo en la cabeza. Nadie debe exagerar. La farsa exige siempre naturalidad. El autor ya se ha encargado de dibujar el tipo y el sastre de vestirlo. Sencillez. El Mozo se detiene en la puerta. Don Mirlo y el otro Mozo vuelven la cabeza y lo miran. Ésta es casi una escena de cine. Las miradas y expresión del conjunto dan su expresión. La Zapatera deja de fregar y mira al Mozo fijamente. Silencio.

ZAPATERA. Pase usted.

MOZO DE LA FAJA. Si usted lo quiere . . .

ZAPATERA, *asombrada.* ¿Yo? Me trae absolutamente sin cuidado,* pero como lo veo en la puerta . . .

62

MOZO DE LA FAJA. Lo que usted quiera. (*Se apoya en el mostrador. Entre dientes.*) Éste es otro al que voy a tener que...

ZAPATERA. ¿Qué va a tomar?

MOZO DE LA FAJA. Seguiré sus indicaciones.

ZAPATERA. Pues la puerta.

MOZO DE LA FAJA. ¡Ay, Dios, mío, cómo cambian los tiempos!

ZAPATERA. No crea que me voy a echar a llorar. Vamos. Va usted a tomar copa, café, refresco, ¿diga?

MOZO DE LA FAJA. Refresco.

ZAPATERA. No me mire tanto que se me va a derramar el jarabe.

MOZO DE LA FAJA. Es que yo me estoy muriendo ¡ay!

Por la ventana pasan dos majas con inmensos abanicos. Miran, se santiguan escandalizadas, se tapan los ojos con los pericones y a pasos menuditos cruzan.

ZAPATERA. El refresco.

MOZO DE LA FAJA, *mirándola.* ¡Ay!

MOZO DEL SOMBRERO, *mirando al suelo.* ¡Ay!

MIRLO, *mirando al techo.* ¡Ay!

La Zapatera dirige la cabeza hacia los tres ayes.

ZAPATERA. ¡Requeteay!* Pero esto ¿es una taberna o un hospital? ¡Abusivos! Si no fuera porque tengo que ganarme la vida con estos vinillos y este trapicheo, porque estoy sola desde que se fue por culpa de todos vosotros mi pobrecito marido de mi alma, ¿cómo es posible que yo aguantara esto? ¿Qué me dicen ustedes? Los voy a tener que plantar en lo ancho de la calle.

MIRLO.   Muy bien, muy bien dicho.

MOZO DEL SOMBRERO.   Has puesto taberna y podemos estar aquí dentro todo el tiempo que queramos.

ZAPATERA, *fiera.* ¿Cómo? ¿Cómo?

El Mozo de la faja inicia el mutis y don Mirlo se levanta sonriente y haciendo como que está en el secreto y que volverá.

MOZO DEL SOMBRERO.   Lo que he dicho.

ZAPATERA.   Pues si dices tú, más digo yo y puedes enterarte, y todos los del pueblo, que hace cuatro meses que se fue mi marido y no cederé a nadie jamás, porque una mujer casada debe estarse en su sitio como Dios manda.   Y que no me asusto de nadie, ¿lo oyes? que yo tengo la sangre de mi abuelo, que esté en gloria, que fue desbravador de caballos y lo que se dice un hombre.   Decente fui y decente lo seré.   Me comprometí con mi marido.   Pues hasta la muerte.

Don Mirlo sale por la puerta rápidamente y haciendo señas que indican una relación entre él y la Zapatera.

MOZO DEL SOMBRERO, *levantándose.*   Tengo tanto coraje que agarraría un toro de los cuernos, le haría hincar la cerviz en las arenas y después me comería sus sesos crudos con estos dientes míos, en la seguridad de no hartarme de morder.
    Sale rápidamente y don Mirlo huye hacia la izquierda.

Zapatera, *con las manos en la cabeza.* Jesús, Jesús, Jesús y Jesús.

Se sienta. Por la puerta entra el Niño, se dirige a la Zapatera y le tapa los ojos.

Niño.   ¿Quién soy yo?

Zapatera.   Mi niño, pastorcillo de Belén.

Niño.   Ya estoy aquí.

Se besan.

Zapatera.   ¿Vienes por la meriendita?

Niño.   Si tú me la quieres dar . . .

Zapatera.   Hoy tengo una onza de chocolate.

Niño.   ¿Sí?   A mí me gusta mucho estar en tu casa.

Zapatera, *dándole la onza.*   ¿Por qué eres interesadillo?

Niño.   ¿Interesadillo?   ¿Ves este cardenal que tengo en la rodilla?

Zapatera.   ¿A ver?

Se sienta en una silla baja y toma el Niño en brazos.

Niño.   Pues me lo ha hecho el Cunillo* porque estaba cantando . . . las coplas que te han sacado y yo le pegué en la cara, y entonces él me tiró una piedra que, ¡plaff!, mira.

Zapatera.   ¿Te duele mucho?

Niño.   Ahora no, pero he llorado.

Zapatera.   No hagas caso ninguno de lo que dicen.

Niño.   Es que eran cosas muy indecentes.   Cosas indecentes que yo sé decir, ¿sabes? pero que no quiero decir.

ZAPATERA, *riéndose*. Porque si lo dices cojo un pimiento picante y te pongo la lengua como un ascua.

Ríen.

NIÑO. Pero, ¿por qué te echarán a ti la culpa de que tu marido se haya marchado?

ZAPATERA. Ellos, ellos son los que la tienen y los que me hacen desgraciada.

NIÑO, *triste*. No digas, Zapaterita.

ZAPATERA. Yo me miraba en sus ojos. Cuando le veía venir montado en su jaca blanca ...

NIÑO, *interrumpiéndole*. ¡Ja, ja, ja! Me estás engañando. El señor Zapatero no tenía jaca.

ZAPATERA. Niño, sé más respetuoso. Tenía jaca, claro que la tuvo, pero es ... es que tú no habías nacido.

NIÑO, *pasándole la mano por la cara*. ¡Ah! ¡Eso sería!

ZAPATERA. Ya ves tú ... cuando lo conocí estaba yo lavando en el arroyo del pueblo. Medio metro de agua y las chinas del fondo se veían reír, reír con el temblorcillo. Él venía con un traje negro entallado, corbata roja de seda buenísima y cuatro anillos de oro que relumbraban como cuatro soles.

NIÑO. ¡Qué bonito!

ZAPATERA. Me miró y lo miré. Yo me recosté en la hierba. Todavía me parece sentir en la cara aquel aire tan fresquito que venía por los árboles. Él paró su caballo y la cola del caballo era blanca y tan larga que llegaba al agua del arroyo. (*La Zapatera está casi llorando. Empieza a*

oírse un canto lejano.) Me puse tan azorada que se me
fueron dos pañuelos preciosos, así de pequeñitos,* en la
corriente.

NIÑO.   ¡Qué risa!

ZAPATERA.   Él, entonces, me dijo ... (*El canto se oye más
cerca. Pausa.*) ¡Chisss! ...

NIÑO.   ¡Las coplas!

ZAPATERA.   ¡Las coplas! (*Pausa. Los dos escuchan.*)   ¿Tú
sabes lo que dicen?

NIÑO, *con la mano.*   Medio, medio.*

ZAPATERA.   Pues cántalas, que quiero enterarme.

NIÑO.   ¿Para qué?

ZAPATERA.   Para que yo sepa de una vez lo que dicen.

NIÑO, *cantando y siguiendo el compás.*   Verás.

> La señora Zapatera,
> al marcharse su marido,
> ha montado una taberna
> donde acude el señorío.

ZAPATERA.   ¡Me la pagarán!

NIÑO, *lleva el compás con la mano en la mesa.*

> ¿Quién te compra, Zapatera,
> el paño de tus vestidos
> y esas chambras de batista
> con encaje de bolillos?
> Ya la corteja el Alcalde,
> ya la corteja Don Mirlo.
> ¡Zapatera, Zapatera,
> Zapatera, te has lucido!

Las voces se van distinguiendo cerca y claras con su acompaña-
miento de panderos.   La Zapatera coge un mantoncillo de manila
y se lo echa sobre los hombros.

¿Dónde vas? (*Asustado.*)

ZAPATERA.   ¡Van a dar lugar a que compre un revólver!

El canto se aleja.   La Zapatera corre a la puerta.   Pero
tropieza con el Alcalde que viene majestuoso, dando golpes con la
vara en el suelo.

ALCALDE.   ¿Quién despacha?

ZAPATERA.   ¡El demonio!

ALCALDE.   Pero, ¿qué ocurre?

ZAPATERA.   Lo que usted debía saber hace muchos días, lo
que usted como alcalde no debía permitir.   La gente me
canta coplas, los vecinos se ríen en sus puertas y como no
tengo marido que vele por mí, salgo yo a defenderme, ya
que en este pueblo las autoridades son calabacines, ceros a
la izquierda,* estafermos.

NIÑO.   Muy bien dicho.

ALCALDE, *enérgico.*   Niño, niño, basta de voces . . .   ¿Sabes
tú lo que he hecho ahora?   Pues meter en la cárcel a dos o
tres de los que venían cantando.

ZAPATERA.   ¡Quisiera yo ver eso!

VOZ, *fuera.*   ¡Niñooooo!

NIÑO.   ¡Mi madre me llama! (*Corre a la ventana.*) ¡Quéee!
Adiós.   Si quieres te puedo traer el espadón grande de mi
abuelo, el que se fue a la guerra.   Yo no puedo con él,
¿sabes?, pero tú, sí.

ZAPATERA, *sonriendo*. ¡Lo que quieras!

VOZ, *fuera*. ¡Niñoooo!

NIÑO, *ya en la calle*. ¿Quéeee?

ALCALDE. Por lo que veo, este niño sabio y retorcido es la única persona a quien tratas bien en el pueblo.

ZAPATERA. No pueden ustedes hablar una sola palabra sin ofender ... ¿De qué se ríe su ilustrísima?*

ALCALDE. ¡De verte tan hermosa y desperdiciada!

ZAPATERA. ¡Antes un perro!*

Le sirve un vaso de vino.

ALCALDE. ¡Qué desengaño de mundo! Muchas mujeres he conocido como amapolas, como rosas de olor ... mujeres morenas con los ojos como tinta de fuego, mujeres que les huele el pelo a nardos y siempre tienen las manos con calentura, mujeres cuyo talle se puede abarcar con estos dedos,* pero como tú, como tú no hay nadie. Anteayer estuve enfermo toda la mañana porque vi tendidas en el prado dos camisas tuyas con lazos celestes, que era como verte a ti, zapatera de mi alma.

ZAPATERA, *estallando furiosa*. Calle usted, viejísimo, calle usted; con hijas mozuelas y lleno de familia no se debe cortejar de esta manera tan indecente y tan descarada.

ALCALDE. Soy viudo.

ZAPATERA. Y yo casada.

ALCALDE. Pero tu marido te ha dejado y no volverá, estoy seguro.

ZAPATERA.   Yo viviré como si lo tuviera.

ALCALDE.   Pues a mí me consta, porque me lo dijo, que no te quería ni tanto así.*

ZAPATERA.   Pues a mí me consta que sus cuatro señoras, mal rayo las parta, le aborrecían a muerte.

ALCALDE, *dando en el suelo con la vara.*   ¡Ya estamos!*

ZAPATERA, *tirando un vaso.*   ¡Ya estamos!

Pausa.

ALCALDE, *entre dientes.*   Si yo te cogiera por mi cuenta, ¡vaya si te domaba!*

ZAPATERA, *guasona.*   ¿Qué está usted diciendo?

ALCALDE.   Nada, pensaba ... de que si tú fueras como debías ser, te hubiera enterado que tengo voluntad y valentía para hacer escritura, delante del notario, de una casa muy hermosa.

ZAPATERA.   ¿Y qué?

ALCALDE.   Con un estrado que costó cinco mil reales, con centros de mesa, con cortinas de brocatel, con espejos de cuerpo entero ...

ZAPATERA.   ¿Y qué más?

ALCALDE, *tenoriesco.*   Que la casa tiene una cama con coronación de pájaros y azucenas de cobre, un jardín con seis palmeras y una fuente saltadora, pero aguarda, para estar alegre, que una persona que sé yo se quiera aposentar en sus salas donde estaría ... (*dirigiéndose a la Zapatera*) mira, ¡estarías como una reina!

ZAPATERA, *guasona.* Yo no estoy acostumbrada a esos lujos. Siéntese usted en el estrado, métase usted en la cama, mírese usted en los espejos y póngase con la boca abierta debajo de las palmeras esperando que le caigan los dátiles, que yo de zapatera no me muevo.

ALCALDE. Ni yo de alcalde. Pero que te vayas enterando que no por mucho despreciar amanece más temprano.* *Con retintín.*

ZAPATERA. Y que no me gusta usted ni me gusta nadie del pueblo. ¡Que está usted muy viejo!

ALCALDE, *indignado.* Acabaré metiéndote en la cárcel.

ZAPATERA. ¡Atrévase usted!

Fuera se oye un toque de trompeta floreado y comiquísimo.

ALCALDE. ¿Qué será eso?

ZAPATERA, *alegre y ojiabierta.* ¡Títeres!

Se golpea las rodillas. Por la ventana cruzan dos mujeres.

VECINA ROJA. ¡Títeres!

VECINA MORADA. ¡Títeres!

NIÑO, *en la ventana.* ¿Traerán monos? ¡Vamos!

ZAPATERA, *al Alcalde.* ¡Yo voy a cerrar la puerta!

NIÑO. ¡Vienen a tu casa!

ZAPATERA. ¿Sí?

Se acerca a la puerta.

NIÑO. ¡Míralos!

Por la puerta aparece el Zapatero disfrazado. Trae una trompeta y un cartelón enrollado a la espalda, lo rodea la gente. La Zapatera queda en actitud expectante y el Niño salta por la ventana y se coge a sus faldones.

ZAPATERO. Buenas tardes.

ZAPATERA. Buenas tardes tenga usted, señor titiritero.

ZAPATERO. ¿Aquí se puede descansar?

ZAPATERA. Y beber, si usted gusta.

ALCALDE. Pase usted, buen hombre y tome lo que quiera, que yo pago. (*A los vecinos.*) Y vosotros, ¿qué hacéis ahí?

VECINA ROJA. Como estamos en lo ancho de la calle no creo que le estorbemos.

El Zapatero mirándolo todo con disimulo deja el rollo sobre la mesa.

ZAPATERO. Déjelos, señor Alcalde ... supongo que es usted, que con ellos me gano la vida.

NIÑO. ¿Dónde he oído yo hablar a este hombre? (*En toda la escena el Niño mirará con gran estrañeza al Zapatero.*) ¡Haz ya los títeres!

Los vecinos ríen.

ZAPATERO. En cuanto tome un vaso de vino.

ZAPATERA, *alegre.* ¿Pero los va usted a hacer en mi casa?

ZAPATERO. Si tú me lo permites.

VECINA ROJA. Entonces, ¿podemos pasar?

ZAPATERA, *seria.* Podéis pasar.

Da un vaso al Zapatero.

VECINA ROJA, *sentándose.* Disfrutaremos un poquito.

> *El Alcalde se sienta.*

ALCALDE. ¿Viene usted de muy lejos?

ZAPATERO. De muy lejísimos.*

ALCALDE. ¿De Sevilla?

ZAPATERO. Échele usted leguas.*

ALCALDE. ¿De Francia?

ZAPATERO. Échele usted leguas.

ALCALDE. ¿De Inglaterra?

ZAPATERO. De las islas Filipinas.

Las vecinas hacen rumores de admiración. La Zapatera está extasiada.

ALCALDE. ¿Habrá usted visto a los insurrectos?*

ZAPATERO. Lo mismo que les estoy viendo a ustedes ahora.

NIÑO. ¿Y cómo son?

ZAPATERO. Intratables. Figúrense ustedes que casi todos ellos son zapateros.

> *Los vecinos miran a la Zapatera.*

ZAPATERA, *quemada.* ¿Y no los hay de otros oficios?

ZAPATERO. Absolutamente. En las islas Filipinas, zapateros.*

ZAPATERA. Pues puede que en las Filipinas esos zapateros sean tontos, que aquí en estas tierras los hay listos y muy listos.

VECINA ROJA, *adulona.* Muy bien hablado.

ZAPATERA, *brusca.* Nadie le ha preguntado su parecer.

VECINA ROJA. ¡Hija mía!

ZAPATERO, *enérgico, interrumpiendo.* ¡Qué rico vino! (*Más fuerte.*) ¡Qué requeterrico* vino! (*Silencio.*) Vino de uvas negras como el alma de algunas mujeres que yo conozco.

ZAPATERA. ¡De las que la tengan!

ALCALDE. ¡Chis! ¿Y en qué consiste el trabajo de usted?

ZAPATERO, *apura el vaso, chasca la lengua y mira a la Zapatera.* ¡Ah! Es un trabajo de poca apariencia y de mucha ciencia. Enseño la vida por dentro. Aleluyas son los hechos del zapatero mansurrón y la Fierabrás de Alejandría, vida de don Diego Corrientes, aventuras del guapo Francisco Esteban y, sobre todo, arte de colocar el bocado a las mujeres parlanchinas y respondonas.*

ZAPATERA. ¡Todas esas cosas las sabía mi pobrecito marido!

ZAPATERO. ¡Dios lo haya perdonado!

ZAPATERA. Oiga usted . . .

Las vecinas ríen.

NIÑO. ¡Cállate!

ALCALDE, *autoritario.* ¡A callar! Enseñanzas son ésas que convienen a todas las criaturas. Cuando usted guste.

El Zapatero desenrolla el cartelón en el que hay pintada una historia de ciego, dividida en pequeños cuadros, pintados con almazarrón y colores violentos. Los vecinos inician un movimiento de aproximación y la Zapatera se sienta al Niño sobre sus rodillas.

ZAPATERO.   Atención.

NIÑO.   ¡Ay, qué precioso!

Abraza a la Zapatera, murmullos.

ZAPATERA.   Que te fijes bien por si acaso no me entero del
todo.

NIÑO.   Más difícil que la historia sagrada no será.

ZAPATERO.   Respetable público: Oigan ustedes el romance
verdadero y substancioso de la mujer rubicunda y el
hombrecito de la paciencia, para que sirva de escarmiento
y ejemplaridad a todas las gentes de este mundo. (*En
tono lúgubre.*)   Aguzad vuestros oídos y entendimiento.

*Los vecinos alargan la cabeza y algunas mujeres se agarran de
las manos.*

NIÑO.   ¿No te parece el titiritero, hablando, a tu marido?

ZAPATERA.   Él tenía la voz más dulce.

ZAPATERO.   ¿Estamos?*

ZAPATERA.   Me sube así un repeluzno.*

NIÑO.   ¡Y a mí también!

ZAPATERO, *señalando con la varilla.*

En un cortijo de Córdoba,
entre jarales y adelfas,
vivía un talabartero
con una talabartera.

Expectación.

Ella era mujer arisca,
él hombre de gran paciencia,
ella giraba en los veinte
y él pasaba de cincuenta.
¡Santo Dios, cómo reñían!
Miren ustedes la fiera,
burlando al débil marido
con los ojos y la lengua.

Está pintada en el cartel una mujer que mira de manera infantil y cansina.

ZAPATERA.   ¡Qué mala mujer!

Murmullos.

ZAPATERO.   Cabellos de emperadora
tiene la talabartera,
y una carne como el agua
cristalina de Lucena.*
Cuando movía las faldas
en tiempos de Primavera
olía toda su ropa
a limón y a yerbabuena.
¡Ay, qué limón, limón
de la limonera!
¡Qué apetitosa
talabartera!

Los vecinos ríen.

Ved cómo la cortejaban
mocitos de gran presencia
en caballos relucientes
llenos de borlas de seda.

Gente cabal y garbosa
que pasaba por la puerta
haciendo brillar, alegre,
las onzas de sus cadenas.
La conversación a todos
daba la talabartera,
y ellos caracoleaban
sus jacas sobre las piedras.
Miradla hablando con uno
bien peinada y bien compuesta,
mientras el pobre marido
clava en el cuero la lezna.

(*Muy dramático y cruzando las manos.*)

Esposo viejo y decente
casado con joven tierna,
qué tunante caballista
roba tu amor en la puerta.

La Zapatera que ha estado dando suspiros rompe a llorar.

ZAPATERO, *volviéndose.* ¿Qué os pasa?

ALCALDE. ¡Pero niña!

Da con la vara.

VECINA ROJA. ¡Siempre llora quien tiene por qué callar!

VECINA MORADA. ¡Siga usted!

Los vecinos murmuran y sisean.

ZAPATERA. Es que me da mucha lástima y no puedo contenerme, ¿lo ve usted?, no puede contenerme.

Llora queriéndose contener, hipando de manera comiquísima.

ALCALDE. ¡Chitón!

NIÑO. ¿Lo ves?

ZAPATERO.   ¡Hagan el favor de no interrumpirme!   ¡Cómo se conoce que no tienen que decirlo de memoria!

NIÑO, *suspirando*.   ¡Es verdad!

ZAPATERO, *malhumorado*.

Un lunes por la mañana
a eso de las once y media,
cuando el sol deja sin sombra
los juncos y madreselvas,
cuando alegremente bailan
brisa y tomillo en la sierra
y van cayendo las verdes
hojas de las madroñeras,
regaba sus alhelíes
la arisca talabartera.
Llegó su amigo trotando
una jaca cordobesa
y le dijo entre suspiros:
Niña, si tú lo quisieras,
cenaríamos mañana
los dos solos, en tu mesa.
¿Y qué harás de mi marido!
Tu marido no se entera.
¿Qué piensas hacer?   Matarlo.
Es ágil.   Quizá no puedas.
¿Tienes revólver?   ¡Mejor!,
¡tengo navaja barbera!
¿Corta mucho?   Más que el frío.

La Zapatera se tapa los ojos y aprieta al Niño.   Todos los vecinos tienen una expectación máxima que se notará en sus expresiones.

Y no tiene ni una mella.
¿No has mentido? Le daré
diez puñaladas certeras
en esta disposición,
que me parece estupenda:
cuatro en la región lumbar,
una en la tetilla izquierda,
otra en semejante sitio
y dos en cada cadera.
¿Lo matarás en seguida?
Esta noche cuando vuelva
con el cuero y con las crines
por la curva de la acequia.

En este último verso y con toda rapidez se oye fuera del escenario un grito angustiado y fortísimo; los vecinos se levantan. Otro grito más cerca. Al Zapatero se le cae de las manos el telón y la varilla. Tiemblan todos cómicamente.

VECINA NEGRA, *en la ventana.* ¡Ya han sacado las navajas!

ZAPATERA. ¡Ay, Dios mío!

VECINA ROJA. ¡Virgen Santísima!

ZAPATERO. ¡Qué escándalo!

VECINA NEGRA. ¡Se están matando! ¡Se están cosiendo a puñaladas por culpa de esa mujer!

Señala a la Zapatera.

ALCALDE, *nervioso.* ¡Vamos a ver!

NIÑO. ¡Que me da mucho miedo!

VECINA VERDE. ¡Acudir, acudir!

Van saliendo.

Voz, *fuera.*   ¡Por esa mala mujer!

ZAPATERO.   Yo no puedo tolerar esto; ¡no lo puedo tolerar!

Con las manos en la cabeza corre la escena. Van saliendo rapidísimamente todos entre ayes y miradas de odio a la Zapatera. Ésta cierra rápidamente la ventana y la puerta.

ZAPATERA.   ¿Ha visto usted qué infamia? Yo le juro por la preciosísima sangre de nuestro padre Jesús, que soy inocente. ¡Ay! ¿Qué habrá pasado?... Mire, mire usted cómo tiemblo. (*Le enseña las manos.*) Parece que las manos se me quieren escapar ellas solas.

ZAPATERO.   Calma, muchacha. ¿Es que su marido está en la calle?

ZAPATERA, *rompiendo a llorar.*   ¿Mi marido? ¡Ay, señor mío!

ZAPATERO.   ¿Qué le pasa?

ZAPATERA.   Mi marido me dejó por culpa de las gentes y ahora me encuentro sola sin calor de nadie.

ZAPATERO.   ¡Pobrecilla!

ZAPATERA.   ¡Con lo que yo lo quería! ¡Lo adoraba!

ZAPATERO, *con un arranque.*   ¡Eso no es verdad!

ZAPATERA, *dejando rápidamente de llorar.*   ¿Qué está usted diciendo?

ZAPATERO.   Digo que es una cosa tan ... incomprensible que ... parece que no es verdad. (*Turbado.*)

ZAPATERA. Tiene usted mucha razón, pero yo desde entonces no como, ni duermo, ni vivo; porque él era mi alegría, mi defensa.

ZAPATERO. Y queriéndolo tanto como lo quería, ¿la abandonó? Por lo que veo su marido de usted era un hombre de pocas luces.

ZAPATERA. Haga el favor de guardar la lengua en el bolsillo. Nadie le ha dado permiso para que dé su opinión.

ZAPATERO. Usted perdone, no he querido . . .

ZAPATERA. Digo . . . ¡cuando era más listo . . . !*

ZAPATERO, *con guasa*. ¿Síííí?

ZAPATERA, *enérgica*. Sí. ¿Ve usted todos esos romances y chupaletrinas que canta y cuenta por los pueblos? Pues todo eso es un ochavo comparado con lo que él sabía . . . él sabía . . . ¡el triple!

ZAPATERO, *serio*. No puede ser.

ZAPATERA, *enérgica*. Y el cuádruple . . . Me los decía todos a mí cuando nos acostábamos. Historietas antiguas que usted habrá oído mentar siquiera* . . . (*gachona*) y a mí me daba un susto . . . pero él me decía: « ¡preciosa de mi alma, si esto ocurre de mentirijillas! »*

ZAPATERO, *indignado*. ¡Mentira!*

ZAPATERA, *extrañadísima*. ¿Eh? ¿Se le ha vuelto el juicio?

ZAPATERO. ¡Mentira!

ZAPATERA, *indignada*. Pero ¿qué es lo que está usted diciendo, titiritero del demonio?

F

ZAPATERO, *fuerte y de pie.*   Que tenía mucha razón su marido de usted.   Esas historietas son pura mentira, fantasía nada más. (*Agrio.*)

ZAPATERA, *agria.*   Naturalmente, señor mío.   Parece que me toma por tonta de capirote ... pero no me negará usted que dichas historietas impresionan.

ZAPATERO.   ¡Ah, eso ya es harina de otro costal!*   Impresionan a las almas impresionables.

ZAPATERA.   Todo el mundo tiene sentimientos.

ZAPATERO.   Según se mire.   He conocido mucha gente sin sentimiento.   Y en mi pueblo vivía una mujer ... en cierta época, que tenía el suficiente mal corazón para hablar con sus amigos por la ventana mientras el marido hacía botas y zapatos de la mañana a la noche.

ZAPATERA, *levantándose y cogiendo una silla.*   ¿Eso lo dice por mí?

ZAPATERO.   ¿Cómo?

ZAPATERA.   ¡Que si va con segunda, dígalo!*   ¡Sea valiente!

ZAPATERO, *humilde.*   Señorita, ¿qué está usted diciendo? ¿Qué sé yo quién es usted?   Yo no la he ofendido en nada; ¿por qué me falta de esa manera?   ¡Pero es mi sino!
                                        Casi lloroso.

ZAPATERA, *enérgica, pero conmovida.*   Mire usted, buen hombre.   Yo he hablado así porque estoy sobre ascuas; todo el mundo me asedia, todo el mundo me critica;

¿cómo quiere que no esté acechando la ocasión más pequeña para defenderme? Si estoy sola, si soy joven y vivo ya sólo de mis recuerdos . . .

Llora.

ZAPATERO, *lloroso.* Ya comprendo, preciosa joven. Yo comprendo mucho más de lo que pueda imaginarse, porque . . . ha de saber usted con toda clase de reservas que su situación es . . . sí, no cabe duda, idéntica a la mía.

ZAPATERA, *intrigada.* ¿Es posible?

ZAPATERO, *se deja caer sobre la mesa.* A mí . . . ¡me abandonó mi esposa!

ZAPATERA. ¡No pagaba con la muerte!*

ZAPATERO. Ella soñaba con un mundo que no era el mío, era fantasiosa y dominanta,* gustaba demasiado de la conversación y las golosinas que yo no podía costearle, y un día tormentoso de viento huracanado me abandonó para siempre.

ZAPATERA. ¿Y qué hace usted ahora, corriendo mundo?

ZAPATERO. Voy en su busca para perdonarla y vivir con ella lo poco que me queda de vida. A mi edad ya se está malamente por esas posadas de Dios.*

ZAPATERA, *rápida.* Tome un poquito de café caliente que después de toda esta tracamandana le servirá de salud.

Va al mostrador a echar café y vuelve la espalda al Zapatero.

ZAPATERO, *persignándose exageradamente y abriendo los ojos.* Dios te lo premie, clavellinita encarnada.

ZAPATERA, *le ofrece la taza.   Se queda con el plato en las manos y él bebe a sorbos.*   ¿Está bueno?

ZAPATERO, *meloso*.   ¡Como hecho por sus manos!

ZAPATERA, *sonriente*.   ¡Muchas gracias!

ZAPATERO, *en el último trago*.   ¡Ay, qué envidia me da su marido!

ZAPATERA.   ¿Por qué?

ZAPATERO, *galante*.   ¡Porque se pudo casar con la mujer más preciosa de la tierra!

ZAPATERA, *derretida*.   ¡Qué cosas tiene!*

ZAPATERO.   Y ahora casi me alegro de tenerme que marchar, porque usted sola, yo solo, usted tan guapa y yo con mi lengua en su sitio, me parece que se me escaparía cierta insinuación . . .

ZAPATERA, *reaccionando*.   Por Dios, ¡quite de ahí!   ¿Qué se figura?   ¡Yo guardo mi corazón entero para el que está por esos mundos, para quien debo, para mi marido!

ZAPATERO, *contentísimo y tirando el sombrero al suelo*.   ¡Eso está pero que muy bien!*   Así son las mujeres verdaderas, ¡así!

ZAPATERA, *un poco guasona y sorprendida*.   Me parece a mí que usted está un poco . . .

*Se lleva el dedo a la sien.**

ZAPATERO.   Lo que usted quiera.   ¡Pero sepa y entienda que yo no estoy enamorado de nadie más que de mi mujer, mi esposa de legítimo matrimonio!

ZAPATERA. Y yo de mi marido y de nadie más que de mi marido. Cuántas veces lo he dicho para que lo oyeran hasta los sordos. (*Con las manos cruzadas.**) ¡Ay, qué zapaterillo de mi alma!

ZAPATERO, *aparte.* ¡Ay, qué zapaterilla de mi corazón!

Golpes en la puerta.

ZAPATERA. ¡Jesús! Está una en un continuo sobresalto. ¿Quién es?

NIÑO. ¡Abre!

ZAPATERA. ¿Pero es posible? ¿Cómo has venido?

NIÑO. ¡Ay, vengo corriendo para decírtelo!

ZAPATERA. ¿Qué ha pasado?

NIÑO. Se han hecho heridas con las navajas dos o tres mozos y te echan a ti la culpa. Heridas que echan mucha sangre. Todas las mujeres han ido a ver al juez para que te vayas del pueblo, ¡ay! Y los hombres querían que el sacristán tocara las campanas para cantar tus coplas ...

El Niño está jadeante y sudoroso.

ZAPATERA, *al Zapatero.* ¿Lo está usted viendo?

NIÑO. Toda la plaza está llena de corrillos ... parece la feria ... ¡y todos contra ti!

ZAPATERO. ¡Canallas! Intenciones me dan de salir a defenderla.

ZAPATERA. ¿Para qué? Lo meterán en la cárcel. Yo soy la que va a tener que hacer algo gordo.

NIÑO. Desde la ventana de tu cuarto puedes ver el jaleo de la plaza.

ZAPATERA, *rápida.* Vamos, quiero cerciorarme de la maldad de las gentes.

Mutis rápido.

ZAPATERO. Sí, sí, canallas ... pero pronto ajustaré cuentas con todos y me las pagarán ... ¡Ah, casilla mía, qué calor más agradable sale por tus puertas y ventanas!, ¡ay, qué terribles paradores, qué malas comidas, qué sábanas de lienzo moreno por esos caminos del mundo! ¡Y qué disparate no sospechar que mi mujer era de oro puro, del mejor oro de la tierra! ¡Casi me dan ganas de llorar!

VECINA ROJA, *entrando rápida.* Buen hombre.

VECINA AMARILLA, *rápida.* Buen hombre.

VECINA ROJA. Salga en seguida de esta casa. Usted es persona decente y no debe estar aquí.

VECINA AMARILLA. Ésta es la casa de una leona, de una hiena.

VECINA ROJA. De una mal nacida, desengaño de los hombres.

VECINA AMARILLA. Pero o se va del pueblo o la echamos. Nos trae locas.

VECINA ROJA. Muerta la quisiera ver.

VECINA AMARILLA. Amortajada, con su ramo en el pecho.

ZAPATERO, *angustiado.* ¡Basta!

VECINA ROJA. Ha corrido la sangre.

VECINA AMARILLA. No quedan pañuelos blancos.

VECINA ROJA.   Dos hombres como dos soles.

VECINA AMARILLA.   Con las navajas clavadas.

ZAPATERO, *fuerte*.   ¡Basta ya!

VECINA ROJA.   Por culpa de ella.

VECINA AMARILLA.   Ella, ella y ella.

VECINA ROJA.   Miramos por usted.

VECINA AMARILLA.   ¡Le avisamos con tiempo!

ZAPATERO.   Grandísimas embusteras, mentirosas, mal naci-
das.   Os voy a arrastrar del pelo.

VECINA ROJA, *a la otra*.   ¡También lo ha conquistado!

VECINA AMARILLA.   ¡A fuerza de besos habrá sido!

ZAPATERO.   ¡Así os lleve el demonio!   ¡Basiliscos, per-
juras!

VECINA NEGRA, *en la ventana*.   ¡Comadre, corra usted!

     Sale corriendo.   Las dos vecinas hacen lo mismo.

VECINA ROJA.   Otro en el garlito.

VECINA AMARILLA.   ¡Otro!

ZAPATERO.   ¡Sayonas judías!   Os pondré navajillas barberas
en los zapatos!   Me vais a soñar.*

NIÑO, *entra rápido*.   Ahora entraba un grupo de hombres en
casa del Alcalde.   Voy a ver lo que dicen.

          Sale corriendo.

ZAPATERA, *valiente.*   Pues aquí estoy, si se atreven a venir. Y con serenidad de familia de caballistas que ha cruzado muchas veces la sierra, sin hamugas, a pelo sobre los caballos.

ZAPATERO.   ¿Y no flaqueará algún día su fortaleza?

ZAPATERA.   Nunca se rinde la que, como yo, está sostenida por el amor y la honradez.   Soy capaz de seguir así hasta que se vuelva cana toda mi mata de pelo.

ZAPATERO, *conmovido, avanzando hacia ella.*   Ay...

ZAPATERA.   ¿Qué le pasa?

ZAPATERO.   Me emociono.

ZAPATERA.   Mire usted, tengo a todo el pueblo encima, quieren venir a matarme, y sin embargo no tengo ningún miedo.   La navaja se contesta con la navaja y el palo con el palo, pero cuando de noche cierro esa puerta y me voy sola a mi cama ... me da una pena ... ¡qué pena!   ¡Y paso unas sofocaciones! ...   Que cruje la cómoda: ¡un susto!   Que suenan con el aguacero los cristales del ventanillo, ¡otro susto!   Que yo sola meneo sin querer las perinolas de la cama, ¡susto doble!   Y todo esto no es más que el miedo a la soledad donde están los fantasmas, que yo no he visto porque no los he querido ver, pero que vieron mi madre y mi abuela y todas las mujeres de mi familia que han tenido ojos en la cara.

ZAPATERO.   ¿Y por qué no cambia de vida?

ZAPATERA.   ¿Pero usted está en su juicio?   ¿Qué voy a hacer?   ¿Dónde voy así?   Aquí estoy y Dios dirá.

Fuera y muy lejanos se oyen murmullos y aplausos.

ZAPATERO.   Yo lo siento mucho, pero tengo que emprender mi camino antes que la noche se me eche encima.   ¿Cuánto debo?

Coge el cartelón.

ZAPATERA.   Nada.

ZAPATERO.   No transijo.

ZAPATERA.   Lo comido por lo servido.*

ZAPATERO.   Muchas gracias.   (*Triste se carga el cartelón.*) Entonces, adiós . . . para toda la vida, porque a mi edad . . .

Está conmovido.

ZAPATERA, *reaccionando*.   Yo no quisiera despedirme así. Yo soy mucho más alegre.   (*En voz clara.*)   Buen hombre, Dios quiera que encuentre usted a su mujer, para que vuelva a vivir con el cuido y la decencia a que estaba acostumbrado.

Está conmovida.

ZAPATERO.   Igualmente le digo de su esposo.   Pero usted ya sabe que el mundo es reducido, ¿qué quiere que le diga si por casualidad me lo encuentro en mis caminatas?

ZAPATERA.   Dígale usted que lo adoro.

ZAPATERO, *acercándose*.   ¿Y qué más?

ZAPATERA.   Que a pesar de sus cincuenta y tantos años, benditísimos cincuenta años, me resulta* más juncal y torerillo que todos los hombres del mundo.

ZAPATERO. ¡Niña, qué primor! ¡Le quiere usted tanto como yo a mi mujer!

ZAPATERA. ¡Muchísimo más!

ZAPATERO. No es posible. Yo soy como un perrillo y mi mujer manda en el castillo,* ¡pero que mande! Tiene más sentimiento que yo.

> *Está cerca de ella y como adorándola.*

ZAPATERA. Y no se olvide de decirle que lo espero, que el invierno tiene las noches largas.

ZAPATERO. Entonces, ¿lo recibiría usted bien?

ZAPATERA. Como si fuera el rey y la reina juntos.

ZAPATERO, *temblando*. ¿Y si por casualidad llegara ahora mismo?

ZAPATERA. ¡Me volvería loca de alegría!

ZAPATERO. ¿Le perdonaría su locura?

ZAPATERA. ¡Cuánto tiempo hace que se la perdoné!

ZAPATERO. ¿Quiere usted que llegue ahora mismo?

ZAPATERA. ¡Ay, si viniera!

ZAPATERO, *gritando*. ¡Pues aquí está!

ZAPATERA. ¿Qué está usted diciendo?

ZAPATERO, *quitándose las gafas y el disfraz*. ¡Que ya no puedo más! ¡Zapatera de mi corazón!

La Zapatera está como loca, con los brazos separados del cuerpo. El Zapatero abraza a la Zapatera y ésta lo mira fijamente en medio de su crisis. Fuera se oye claramente un runrún de coplas.

VOZ, *dentro.*   La señora zapatera
      al marcharse su marido
      ha montado una taberna
      donde acude el señorío.

ZAPATERA, *reaccionando.*   ¡Pillo, granuja, tunante, canalla! ¿Lo oyes?   ¡Por tu culpa!

             Tira las sillas.

ZAPATERO, *emocionado dirigiéndose al banquillo.*   ¡Mujer de mi corazón!

ZAPATERA.   ¡Corremundos!   ¡Ay, cómo me alegro de que hayas venido!   ¡Qué vida te voy a dar!   ¡Ni la inquisición!   ¡Ni los templarios de Roma!*

ZAPATERO, *en el banquillo.*   ¡Casa de mi felicidad!

Las coplas se oyen cerquísima, los vecinos aparecen en la ventana.

VOCES, *dentro.*   ¿Quién te compra zapatera
      el paño de tus vestidos
      y esas chambras de batista
      con encaje de bolillos:
      Ya la corteja el alcalde,
      ya la corteja don Mirlo.
      Zapatera, zapatera,
      ¡zapatera te has lucido!

ZAPATERA. ¡Qué desgraciada soy! ¡Con este hombre que
Dios me ha dado! (*Yendo a la puerta.*) ¡Callarse largos
de lengua, judíos colorados! Y venid, venid ahora,
si queréis. Ya somos dos a defender mi casa, ¡dos! ¡dos!
yo y mi marido. (*Dirigiéndose al marido.*) ¡Con este
pillo, con este granuja!

*El ruido de las coplas llena la escena.   Una campana rompe a
tocar lejana y furiosamente.*

TELÓN

NOTES

The figures refer to pages

37. **Sale** 'He enters' (onto stage). But see also the last word of the Prologue, where *Sale* is used for 'Exit.'

    Por este miedo absurdo . . . una multitud: this passage refers to the Biblical stories of the burning bush and the loaves and the fishes. The idea is that the poet needs a sympathetic audience as well as freedom from the necessity to make his plays pay.

38. **zapaterilla prodigiosa:** *zapatero* and *zapatera* mean 'cobbler' and 'cobbler's wife'; but they also mean a man or woman who takes no tricks in a card game. This is the case in the situation described in the play; and here is a good example of García Lorca's use of multiple meanings. Again, *prodigioso* (*-a*) means 'prodigious,' 'extraordinary,' as well as 'monstrous,' and even 'charming.' All these meanings apply to the Zapatera.

39. **verde rabioso:** 'strident green,' or 'shrieking green.'

    penacho de catalineta: '[you think you're] the cat's whiskers' (literally, 'parrot's plume').

    Si no te metes . . . te hubiera arrastrado: note the use of the present tense (*metes*) to make the action more immediate. Translate: 'If you hadn't just got inside the house I'd have dragged you along the ground.'

40. **Quién me hubiera dicho . . . del pelo:** 'If anyone had ever told me, with my fair hair and dark eyes—and everyone knows how uncommon and attractive that is—that I should end up married to . . . oh, I would have torn my hair.'

    Gente de paz: 'Friend.' This is the normal reply to such a challenge, as to the sentry's ¿ *Quién va?*

    ¿Quiere usted que le sople?: 'Shall I blow on it?'—*i.e.,* to soothe the smarting.

    ya se me ha pasado: 'it's gone off now.'

    así supiera ella aliñar . . . un buen guiso como mi marido componer zapatos: 'if only she could season . . . a good stew as well as my husband can mend shoes.'

93

41. **¡Si contigo no es nada!:** 'Of course I'm not angry with you!' The *si* makes the statement emphatic.

    este muñequito: the symbolism of the doll becomes clearer when one recalls the Andalusian phrase *tener muñecos en la cabeza*, which means 'to have ideas above one's station,' and also to invent great illusions and consider them as reality. *Cf.* the folk-song:

    > *Anda a la iglesia y confiesa;*
    > *que te quiten los muñecos*
    > *que tienes en la cabeza.*

    ¡Válgate Dios!: a greeting.

    ¡Ustedes se conserven . . . ¡Deo gratias!: ill-assorted expressions of farewell, greeting and thanksgiving strung together by the boy in his confusion and haste to escape at the entrance of the surly cobbler.

    Si hubieras reventado antes de nacer: 'If you had never been born.'

42. **Si una no puede ser buena . . . :** 'If a girl can't be good of her own accord [then she must be made to be good].'

43. **¿Tú? ¡Tú qué ibas a tener!:** 'You? You never had such a thing!'

    También los tuve yo: 'I was eighteen once too.'

    Verás: 'Listen,' 'I'll tell you.'

44. **ponte a tu obligación. ¡Parece mentira!:** 'remember who you're talking to! Who would have thought it!'

    iba . . . ibas: note the use of the imperfect (*iba*) instead of the conditional perfect, and the imperfect (*ibas*) instead of the conditional —both cases of using a more direct and actual tense for the sake of emphasis.

    « que si te vas a quedar solo,» que si qué sé yo: the *que* is used as if introducing reported speech after a verb of saying. *Qué sé yo*, 'goodness knows.'

    ¡Mal rayo parta a mi hermana, que en paz descanse!: 'Blast my sister—may she rest in peace!' The sister is dead, so that the Zapatero may only mention her with a pious wish, even though he is at the same time cursing her.

45. **por los clavitos de Nuestro Señor:** a reference to the nails by which Christ was fastened to the Cross. Such pious phrases are typical of Andalusian speech, as is the diminutive which, as in this case, is often not literally diminutive.

pongo por caso: 'for example.'

¡Se arranca ... toda su vida: 'It's pitiful, and especially when you've always been so nice and well liked.'

me hizo beber ... sin hervir: the point is that the Zapatera is a bad housewife, and besides an excess of unboiled milk might have had uncomfortable results.

46. **Ni que tire por allí ni que tire por aquí:** 'Don't strain yourself.'

¿Están bien en dos pesetas?: 'Will two pesetas do?'

Vengan los zapatos: 'Hand me over those shoes.'

¡Lagarta, lagarta!: in the masculine this is an Andalusian incantation used with a special gesture to ward off evil influence at the appearance or mention of certain creatures and names. The Vecina implies that the Zapatera possesses evil influence. There is also a double meaning, since *lagarta* means an artful woman as well as a female lizard.

Bien despachado vas de mujer, ¡que te aproveche!: 'You've certainly got yourself a fine wife. I wish you joy of her!'

47. **como las salamanquesas del agua fría:** these lizards love dry warmth. *Cf.* the Andalusian folk-song:

> *Arrímate a mi querer*
> *como las salamanquesas*
> *se arriman a la pared.*

ni tanto así: 'not even so much'—said together with a gesture indicating smallness.

sin alma en mi almario: 'with my heart in my mouth.' In Andalusian speech *l* and *r* are commonly confused. *Almario* is sometimes used for *armario*; and here there is the additional idea that *almario* is the right place for the *alma*.

yo, todo!: ... santa voluntad: 'I'll do anything but be a slave. I want always to blessed well please myself.'

¡hasta aquí!: 'up to here'—with a gesture made with the hand held horizontally up to the chin.

48. **tú me importas tres pitos:** 'I don't care two pins for you.'

49. **Eso tiene casarse a tu edad:** according to the old Andalusian song:

> *El viejo que se casa*
> *con mujer niña,*
> *él mantiene la cepa*
> *y otro vendimia.*

en mi casa, coser y cantar: 'in my house the women do their work and like it.'

lo que se dice un hombre: 'I mean a real man.'

50. **y si con esto se atreven a hacer kikirikí:** *cf.* the proverb: *Casa perdida, donde calla el gallo y canta la gallina.*

Que si te vas a . . . cuántos: 'What if you're left without anyone, what if this, what if that, what if I don't know what.'

51. **Cuca silvana:** 'Chuck it and clear out.' This is a typical phrase with multiple meanings, most of them unprintable, but all containing the idea of the suggested translation. It can be derived from the Andalusian expression *andar de cuca*, 'to take up some idle and useless occupation avoiding work.' *Silvano (-a)* is an uncommon adjective meaning 'woodland (pertaining to woods),' 'wild.' Here it implies that the Zapatero is going to seek his freedom.

El zapatero a tus zapatos: 'That stuff about cobbler stick to your last.'

a estar en lenguas de todos: 'to being talked about by everybody.'

52. **¡Qué lástima de talle!:** the Alcalde admires the Zapatera's figure, but ruefully uses *lástima* since she is not his own wife. *Cf.* certain Andalusian folk-songs—*e.g.*:

> *¡ Qué lástima de carita,*
> *que se la coma la tierra,*
> *pudiéndosela comer*
> *un soldado de la reina!*

Si tu madre . . . rey de bastos: a folk-song with several collected variants. It boils down to 'there are plenty more fish in the sea,' and here shows the Zapatero's new determination to cut loose.

esa superstición: according to a superstition observed in Andalusia and Castile, it is bad to turn a chair round on one of its four legs, since the luck of the person who does it becomes disturbed, or misfortunes will happen to the family in whose house this takes place. The Zapatero tries to ward off the bad luck by turning another chair in the opposite direction.

54. **Pin, pin, pío, pío, pío:** the Zapatera chirps like a bird, making fun of Don Mirlo.

bella Otero: this is a reference to the music-hall star of the late nineteenth and early twentieth centuries, Carolina Otero. Known as *la belle Otéro*, she was the natural daughter of a Spanish gipsy woman; she became famous in Europe, America and Russia for her attractions and her many adventures.

aunque no vuelvas: 'even if you didn't come back [I shouldn't miss you].'

¿Se habrá visto?: 'Did you ever . . . ?'

echado a la cara: 'pulled down over his eyes.'

55. **¡Me estarán poniendo! . . . y todo:** 'The things they'll be saying about me! In every house they'll go into all the details.' The Zapatero has no need to finish the first sentence, which should end with *verde*. The second sentence is a reflection of the expression *cortar un traje a una persona*, 'to gossip about someone,' and the Zapatero adds *ropa interior* to suggest all the intimate details which will be discussed.

56. **¡Estaría bueno!:** 'Not likely!'

57. **maestro:** title given to a master of his trade. It could be translated by 'guv'nor,' or 'boss.'

   primero solo . . . los demás: 'I'd rather be alone than laughed at by everybody.'

   Lo que es a mí, me chalan las ovejitas: 'Now me, I'm mad about the darling sheep.'

   y nada: 'without caring.'

61. **porque no podía ser:** 'because it couldn't go on like that.'

62. **Me trae absolutamente sin cuidado:** 'I couldn't care less.'

63. **¡Requeteay!:** *requete* is a prefix denoting repetition and exaggeration.

65. **el Cunillo:** a nickname, probably derived from *cuna*, 'cradle.'

67. **así de pequeñitos:** 'as little as this' (with a gesture).

   con la mano. **Medio, medio:** '(makes a gesture). Yes, more or less.'

68. **ceros a la izquierda:** 'useless clots.' Noughts to the left of a number add nothing to it, whereas noughts to the right multiply it by ten.

69. **su ilustrísima:** 'your worship.' The Zapatera is being sarcastic. *Ilustrísima* is of course an adjective, used in the feminine to agree with a feminine noun, such as *dignidad, eminencia,* etc., which is understood.

G

¡**Antes un perro!**: 'I'd take a dog before I'd take you!'

mujeres . . . con estos dedos: a slender waist is admired in women, especially in Andalusia, where many old songs refer to it—*e.g.*:

> *Tienes una cinturita*
> *que anoche te la medí;*
> *con vara y media de cinta*
> *catorce vueltas te dí*
> *y me sobró una poquita.*

70. **ni tanto así**: see note to p. 47.

    ¡**Ya estamos!**: 'So that's it!' 'Now it's come out!'

    ¡**vaya si te domaba!**: 'wouldn't I just tame you!'

71. **no por mucho despreciar amanece más temprano**: 'however great your scorn you won't bring an earlier dawn.' The Alcalde tries to remake for his own use the proverb *no por mucho madrugar amanece más temprano*.

73. **De muy lejísimos**: 'From very, very far away.' Note the colloquial use of the superlative suffix *-ísimo* with an adverb, giving extra emphasis.

    Échele usted leguas: 'You can add miles to that.'

    los insurrectos: a reference to the insurgents of the Philippine Islands, fighting against Spanish rule between 1896 and 1898, in which year, with the help of the United States, they gained their freedom.

    Absolutamente. En las islas Filipinas, zapateros: 'None at all. In the Philippine Islands there's nothing else but cobblers.'

74. **requeterrico**: see note to p. 63.

    Aleluyas . . . parlanchinas y respondonas: 'I have ballads about the doings of the meek and mild cobbler and the fierce and cruel giantess of Alexandria, the life of Don Diego Corrientes, the adventures of the bold Francisco Esteban, and, especially, the art of bridling chattering women who always answer back.'

    Aleluyas were woodcuts on broadsheets brought out at certain times of the year, especially at Easter. The word came to be used for adventure stories in ballad form printed on broadsheets also decorated with rough woodcuts depicting the incidents described. Hence the word here means the ballad-type story itself.

    Fierabrás was a giant, usually a Mohamedan, who appeared in medieval stories. The name is used as an epithet to describe a person who is wicked, perverse and unmanageable. Here it is aptly applied (in the feminine) to the termagant Zapatera.

Don Diego Corriente was a famous bandit who was executed in Seville in 1781. He became a popular hero, and was brought into a nineteenth-century novel by a Sevillian author, although the Andalusian song about him is probably earlier than the novel:

Aya ba Diego Corriente	(*Allá va Diego Corriente*
con su cabayo cuatrarbo,	*con su caballo cuatralbo,*
su jembra en er pensamiento,	*su hembra en el pensamiento,*
y su trabuco en la mano.	*y su trabuco en la mano.*)

El guapo Francisco Esteban figures in the Cuban expression *más guapo que Francisco Esteban*, which is used when praising a man's courage. Francisco Esteban is said to be a rough-neck from the Cuban interior, but it is possible that the man as well as the expression were originally Andalusian, and that the latter was taken by emigrants to Cuba, and learned of there by scholars. This is the case with many so-called Americanisms in Spanish. García Lorca had visited Cuba shortly before this play was produced for the first time.

75. **¿Estamos?:** 'Ready?'

Me sube así un repeluzno: 'A sort of a cold shiver is running up my spine.'

76. **una carne . . . Lucena:** 'her skin as clear as the cristal water of Lucena.' Lucena, a town in the province of Córdoba, has near it a spring of medicinal waters.

81. **Digo . . . ¡cuando era más listo . . .!:** 'I'm telling you he wasn't half clever!' Lorca could have said: *¡con lo listísimo* (or *listo*) *que era . . .!* or: *¡era más listo . . .!*, but he has used this more colloquial and popular construction.

que usted habrá oído mentar siquiera: 'which you won't even have heard of.' Note the omission of *no* which makes this sentence emphatically negative.

¡. . . si esto ocurre de mentirijillas!: '. . . it's only a story!'
Mentirijilla—like *mentirilla*—is a diminutive of *mentira* (lie), and the expression *de mentirijillas* means 'in jest'—*i.e.*, not seriously.

¡Mentira!: 'That's a lie!'

82. **¡Ah, eso ya es harina de otro costal!:** 'Ah, that's another story!'
    ¡Que si va con segunda, dígalo!: 'If that's a hint, speak out clearly!'

83. **¡No pagaba con la muerte!:** 'Death would be too good for her!' Note the use of the imperfect tense instead of the conditional.
    dominanta: 'domineering.' In colloquial speech words ending in *-ante* are sometimes changed to *-anta* in the feminine.
    esas posadas de Dios: 'all those blessed inns.'

84. **¡Qué cosas tiene!:** 'The things you say!'
    ¡Eso está pero que muy bien!: 'That's absolutely wonderful!'
    Se lleva el dedo a la sien: a gesture indicating madness.

85. *Con las manos cruzadas:* the Zapatera crosses her hands on her breast in an emotional gesture.

87. **Me vais a soñar:** literally: 'You'll have [bad] dreams about me'— i.e., 'I'll scare you stiff.'

89. **Lo comido por lo servido:** 'You've paid for what you've had by doing what you did.'
    me resulta . . .: 'still for me he is . . .'

90. **Yo soy . . . en el castillo:** there are many proverbs on this theme— *cf.* note to p. 50.

91. **¡Ni la inquisición! ¡Ni los templarios de Roma!:** 'I'll make it hotter for you than ever the Inquisition or the Templars of Rome did for people!' The Spanish Inquisition became noted for its thoroughness in dealing with recalcitrants. The Templars were a military and religious order founded in the twelfth century and particularly active in Palestine. They were known for strict and monastic discipline, but were suppressed in the fourteenth century since it was believed by some that their immense wealth and influence constituted a danger to the Church and to certain states.

SELECT VOCABULARY

Abbreviations: m., masculine; *f.*, feminine; *pl.*, plural; *tr.*, transitive(ly);
coll., colloquial; *And.*, Andalusian usage; *dim.*, diminutive; *aug.*,
augmentative; *fig.*, figurative; *fam.*, familiar

abanico (*m.*), fan

abarcar (*tr.*), to reach round

abusivo (*m.*), one who imposes on the patience or hospitality of others

acechar (*tr.*), to lie in wait for

acequia (*f.*), irrigation ditch

acudir a, to frequent

acusado, -a, stressed

adelfa (*f.*), oleander

ademán (*m.*), attitude, gesture

admiración (*f.*), wonder

adulón, -ona, flattering, sycophantic

agarrar, to grasp

agremán (*m.*), trimming of lace

agreste, wild, uncultured

agrio, -a, harsh, bad-tempered

aguacero (*m.*), rain-storm

aguantar, to endure; **aguantarse,** to be forbearing, to suffer in silence

aguzar, to sharpen; **aguzar los oídos,** to prick up one's ears

airado, -a, angry

ajustar, to adjust; **ajustar cuentas,** to settle accounts

alambre (*m.*), wire

alargar, to stretch; **alargar la cabeza** (*coll.*), to pay close attention

alboroto (*m.*), row, uproar

algazara (*f.*), hubbub

alhelí (*m.*), wallflower

aliñar, to season, to prepare (food)

almazarrón (*m.*), red ochre

amargosillo, -a (*dim. of* **amargoso**), rather bitter

amortajado, -a, in a shroud, laid out

andar por ahí, to be somewhere around

antipático, -a, unlikeable, nasty

apetitoso, -a, delicious

aposentarse, to lodge, to take up one's abode

apoyarse, to lean

apretar, to squeeze, to hug

apretón (*m.*), squeeze

apurar, to drain

arisco, -a, snappy, grumpy

armar, to set up, to cause

arrancar, to wrench out

arranque (*m.*), dash, go, spirit; fit of passion, outburst of emotion

arreglar, to mend

arroba, (*f.*), a measure of weight, about 25 lbs.

arrope (*m.*), syrup made from fruit juice, especially grape juice

arruga (*f.*), wrinkle

arrumbado, -a, moved aside, put away

asco (*m.*), loathing, disgust; **qué asco,** how disgusting

ascua (*f.*), red-hot ember; **estar sobre ascuas,** to be on tenterhooks

asediar, to besiege

asomar, to peep; to come into view; **asomarse,** to look out, to lean out

asombrado, -a, wonderstruck; (*coll.*), loony

aterrado, -a, astounded, appalled

avisar, to warn

azorado, -a, bewildered, dazed

azucena (*f.*), lily

banquillo (*m.*), cobbler's bench

baraja (*f.*), pack of playing cards

barra (*f.*), bar, obstacle

bastarse y sobrarse, to be enough and more than enough

bastonazo (*m.*), blow with a stick

bastos (*m. pl.*), clubs (suit in pack of playing cards)

batista (*f.*), cambric

beata (*f.*), pious woman (used pejoratively, implying excess of religious show and narrow-mindedness)

becerro (*m.*), (yearling) calf

Belén, Bethlehem

benditísimo, -a, most blessed; very dear

bocado (*m.*), bit

bolillo, (*m.*), bobbin

borceguí (*m.*), (half-)boot

borla (*f.*), tassel

brío (*m.*), style, dash, spirit

brocatel (*m.*), brocatelle

broma (*f.*), joke; **no estar para bromas,** not to be in a mood for jokes

bulto (*m.*), bundle

burlar, to deceive

ca, *interjection denoting incredulity or negation*

cabal, complete, faultless

caballista (*m.*), mounted bandit; (*adjective*) horse-riding

cabo (*m.*), tip, end

cadera (*f.*), hip

cafetín (*m.*), small drink-shop, pub

caído, -a (*fig.*), languid, slack

calabacín (*m., coll.*), dolt

calabaza (*f.*), pumpkin

calentura (*f.*), fever, temperature

calor (*m., fig.*), protection

caminata (*f.*), tramp, journeying on foot

camisa (*f.*), shirt; shift, petticoat

canalla (*f.*), riff-raff (*collective*); (*m.*) scoundrel; (*m. pl.*) scoundrels

candil (*m.*), oil lamp

cano, -a, grey, silver (of hair)

cansino, -a, weary, worn out

capirote (*m.*), hood; **tonto de capirote,** blockhead, dunce

caracolear (*usually intransitive, but used here tr.*), to make (a horse) prance

cardenal (*m.*), bruise

cargarse, to take up, to load on oneself

cartelón (*m., aug. of* **cartel**), big placard, poster, show-bill

cascante (*m. & f.*), gossip

cascar (*coll.*), to chatter, to gossip

cáscara (*f.*), rind of fruit

catalineta (*f.*), parrot; (*And.*) peepshow at a fair

centro (*m.*) **de mesa,** table centrepiece

cerciorarse, to assure oneself

cerote (*m.*), cobbler's wax

cerviz (*f.*), nape of the neck

cintillo (*m., dim. of* **cinto**), ring

cintura (*f.*), waist; belt, girdle; girth; **meter en cintura** (*coll.*), to bring to reason

clavar, to stab, to stick into

clavellinita (*f., dim. of* **clavellina**), dear little carnation

clavito (*m., dim. of* **clavo**), nail

cocido (*m.*), a stew of meat and vegetables

cohibido, -a, taken aback

cola (*f.*), train of a dress

colmado, -a, chock-full; **estar colmado,** to be absolutely fed up

colmar, to fill up

colorado, -a, (*fig.*) obscene

collar (*m.*), necklace

comadre (*f.*), midwife; godmother; (*fam.*) pal, auntie

comadrica (*f., dim. of* **comadre**), nasty gossip (person)

cómoda (*f.*), chest of drawers

compadre (*m.*), godfather; (*fam.*) pal

compás (*m.*), rhythm; **llevar el compás,** to beat the time

componer, to mend

compromiso (*m.*), betrothal; understanding

compuesto, -a, tidied up

concha (*f.*), tortoise-shell

conjunto (*m.*), whole, ensemble

conmovido, -a, touched, warm

convenir a, to be suitable for

conocer (*tr.*), to make the acquaintance of

conquistar (*tr.*), to win the affection of

constar (*impersonal*), to be evident; **me consta,** I know very well

copa (*f.*), wine-glass; a glass of wine; (*pl.*) a suit in the pack of playing cards, usually taken to correspond to English 'hearts'; **sombrero de copa,** top hat

copla (*f.*), rhyme, verse

coquetear, to flirt, to simper

coraje (*m.*, *coll.*), anger, temper

coronación (*f.*), ornamentation on the bed-head

corremundos (*m.*, *coll.*), tramp, idle vagabond

correr: correr la escena, to draw the stage shut (for the Zapatero's puppet-show); **correr mundo,** to travel about

corillo (*m.*), group of people talking

cortar, to cut; (of cold) to pierce

cortejar, to woo

cortijo (*m.*), farmstead

coser a puñaladas, to riddle with knife wounds

cosquillas (*f. pl.*), tickling; **hacer cosquillas,** to tickle

costear, to afford, to pay the cost of

crin (*f.*), horse-hair

crujir, to creak

cruzar (*tr.*), to go past; to cross

cuatralbo, -a, having four white feet

cuello (*m.*), collar

cuerda: dar cuerda, to wind up (clockwork)

cuido (*m.*), looking after, care

cutis (*m.*), skin, complexion

chalar (*coll.*), to inspire with love; **me chalan,** I'm mad about them

chambra (*f.*), blouse

charol (*m.*), patent-leather

chascar, to click (the tongue)

chillar, to screech, to scream

china (*f.*), pebble, shingle

chis, *interjection used to ask for silence*

chisssss, *a hissing noise used to call the attention of someone*

chitón (*interjection*), shush, silence

chorro (*m.*), stream, jet

chupaletrinas (*m.*, *coll.*), rubbish, filthy stuff

dar: dar cuerda, to wind up (clockwork); **dar en el codo,** to nudge; **dar lugar a,** to cause, to give reason; **dar pruebas,** to show signs; **dar vueltas a,** to turn (something) round; **darse lo mismo,** not to matter one way or the other

dátil (*m.*), date

decente, respectable

decorado (*m*)., stage scenery

derramarse, to spill

derretido, -a, languishing

desbravador (*m.*) **de caballos,** horse-breaker

descarado, -a, shameless

descorrer, to draw back (curtain, etc.)

desengaño (*m.*), disillusionment; **¡qué desengaño de mundo!,** what a life!, what a world!

desnortado, -a (*coll.*), confused, lost

despabilar, to trim (the wick)

despachar, to serve (in a shop)

despedazar, to tear to pieces

despejarse, to calm down

desperdiciado, -a, gone to waste

desplomado, -a, collapsed, in a heap

dibujar, to sketch

diligencia (*f.*), stage-coach

dinerillos (*m. pl., dim. of* **dineros**), a bit of money put by, savings

disfraz (*m.*), disguise

disfrazado, -a, disguised

disfrutar, to have some fun

disgustado, -a, angry, cross

disgustarse con, to be annoyed with

disparate (*m.*), folly, blunder

domar, to tame, to master

dulzón, -ona, sweet and gentle

duro (*m.*), coin worth five pesetas; used as equivalent to five pesetas

echar, to pour out; **echar a** (+ *infinitive*), to begin to do something

efectivamente, quite right; as you say

ejemplaridad (*f.*), exemplariness

embustero (*m.*), liar; tale-bearer; trickster

empeñarse, to insist, to keep on

empolvado, -a, (*coll.*) filthy

enardecido, -a, impassioned; enraged

encaje (*m.*) **de bolillos,** bobbin lace

encantar (*tr.*), to cast a spell on

encargar (*tr.*), to trust, to entrust a task to

encarnado, -a, pink, ruddy

encendido, -a, glowing, ruddy, fiery

enhorabuena (*f.*), welcome; congratulations; (*adverb*) welcome

enrollado, -a, rolled up

enseñar, to show

entallado, -a, close-fitting

enterarse, to become aware; to understand

escándalo (*m.*), scandal; **dar escándalos,** to make a scene

escarmiento (*m.*), warning

escritura (*f.*), deed, contract

espada (*f.*), sword; (*pl.*) spades (a suit in the pack of playing cards)

espadón (*m., aug. of* **espada**), big sword

espalda (*f.*), back; **de espaldas,** backwards; **de espaldas a,** with one's back towards

espejito (*m., dim. of* **espejo**), little piece of looking-glass

espejo (*m.*) **de cuerpo entero,** cheval glass, full-length mirror

esquila (*f.*), sheep-bell

estafermo (*m., fam.*), idler, do-nothing

estorbar, to be in the way

estornudar, to sneeze

estrado (*m.*), set of parlour furniture; parlour

estrañeza (*f., usually* **extrañeza**), bewilderment, wonder

estropearse, to get broken, spoiled or ruined

expectación (*f.*), anticipation

extasiado, -a, entranced

extrañarse, to be surprised

faja (*f.*), sash

faltar, to offend

fantasioso, -a, conceited, vain; full of whims and fancies

fiera (*f.*), wild beast; (*coll.*) termagant

finanza (*f.*), business

flaquear, to weaken, to flag

floreado, -a, figurate (music)

foro (*m.*), drop-scene

frac (*m.*), tail-coat

fregar, to scrub, to wash up

fresco (*m.*), coolness; fresh air; **tomar el fresco,** to get a breath of air

frescura (*f.*), freshness, youthfulness

fuerza (*f.*), strength, force; **a fuerza de,** by dint of

furia (*f.*), fury; fiend; **hecho una furia,** in a fiendish rage

gachón, -ona (*coll.*), sweet, attractive

gafas (*f. pl.*), spectacles

gana (*f.*), wish, desire; **me dan ganas de . . .** (*coll.*), I want to . . .

garabato (*m.*), hook; **garabato de candil,** hook attached to a Spanish oil-lamp for hanging it up

garboso, -a, spruce, jaunty

garlito (*m.*), snare, trap

gentes (*f. pl.*), peoples, nations; (*coll.*) people, folk

girar en, to be round about (of age)

girasol (*m.*), sunflower

golosina (*f.*), sweet, tit-bit, nice thing

gordo, -a, big, fat; **algo gordo** (*fam.*), something dreadful

grandote, -a (*coll., aug. of* **grande**), big and clumsy

granuja (*m., coll.*), blackguard

gritar, to shout, to shriek, to scream

guapo, -a, handsome; (*coll.*) bold

guardar, to keep; to put away

guasa (*f., coll.*), irony

guasón, -ona (*coll.*), satirical, teasing

guirigay (*m., coll.*), bedlam

guiso (*m.*), dish, stew

hacer caso a *or* **de,** to pay attention to

hamugas (*f. pl., And., normally* **jamugas**), mule-chair (for riding side-saddle)

harto, -a, full up; (*coll.*) fed up

hembra (*f.*), the female of an animal; woman

herramienta (*f.*), tool

hiena (*f.*), hyena

hincar la cerviz, to humble oneself, to grovel

hipar, to hiccup

honra (*f.*), respect, celebrity, glory

horquilla (*f.*), hair-pin

huracanado, -a, hurricane-like

ideal, perfect; (*coll.*) terrific

ingenio (*m.*), skill; wit

iniciar, to begin

insurrecto (*m.*), insurgent

interesadillo, -a (*dim. of* **interesado**), mercenary (*N.B. the dim. makes the epithet an endearment*)

intratable, intractable, impossible to deal with

intrigado, -a, interested, involved (in)

ir despachado de, to be settled with, to be served out with

jaca (*f.*), pony

jadeante, panting

jaleo (*m.*), an Andalusian dance and song with a quick rhythm; (*coll.*) trouble, squabbling, fuss

jarabe (*m.*), syrup (for making soft drinks)

jaral (*m.*), piece of ground covered with rock-roses

judío (*m.*), Jew; (*by implication*) treacherous person

juicio (*m.*), sanity, right mind; **volverse el juicio a uno,** to go out of one's mind

juncal (*And.*), graceful, gallant

kikirikí (*m.*), crowing of a cock; cock-a-doodle-do

lagarta (*f.*), female lizard; (*coll.*) artful woman

larán, tra-la

latir, to beat, to pulsate

laurel (*m.*), bay-leaf

lebrillo (*m.*), earthenware bowl

lezna (*f.*), awl

lienzo (*m.*), canvas

liga (*f.*), garter

listo, -a, clever

lograr, to succeed in (doing something); to cause

lucirse, to become ridiculous; (*coll.*) to be up against it

lumbre (*f.*), fire

luz (*f.*), (*fig.*) reason; **de pocas luces,** not right in the head

llevarse una cosa, to carry something away with one

maceta (*f.*), flower-pot

madreselva (*f.*), honeysuckle

madroñera (*f.*), arbutus, strawberry-tree

magro, -a, lean

maja (*f.*), flashily dressed young woman

mano (*f.*), hand; **a mano,** by hand

mansurrón, -ona, meek and mild

mantoncillo (*m., dim. of* **mantón**), little shawl; **mantoncillo de manila,** little embroidered silk shawl

mariposa (*f.*), butterfly

martillazo (*m.*), blow with a hammer

mata (*f.*), woman's head of hair

meloso, -a, sweet, sugary

mella (*f.*), notch, nick

menear, to shake, to move

menta (*f.*), mint

mentar, to mention

mentir, to lie

mentira (*f.*), lie; **parece mentira,** it seems incredible

menudito, -a (*dim. of* menudo), tiny, mincing

meriendita (*f., dim. of* merienda), snack, bite to eat

mimbre (*m. & f.*), willow, osier

mimoso, -a, spoiled; wheedling

mirlo (*m.*), blackbird

mono (*m.*), monkey

montar, to set up; **montarse en,** to climb into *or* onto

moreno, -a, dark; unbleached

mosco (*m.*), gnat, mosquito

mostrador (*m.*), counter

mota (*f.*), piece of fluff (on cloth)

moza (*f.*), lass; **buena moza,** fine upstanding woman

muñequito (*m., dim. of* muñeco), puppet; little boy doll

mutis (*m.*), exit (act of leaving stage); **hacer mutis,** to leave the stage

nacido, -a, born; **mal nacido,** ill-bred, badly brought up

nardo (*m.*), spikenard

navaja (*f.*), knife; razor; **navaja barbera** (*And.*), barber's razor

nerviosamente, in a disturbed or overwrought manner

notición (*m., aug. of* noticia), an important piece of news; a piece of bad news

ochavo (*m.*), old Spanish copper coin of small value

oficio (*m.*), trade

ojiabierto, -a, with eyes opened wide

ojo (*m.*) **de la llave,** key-hole

onza (*f.*), ounce; Spanish gold coin, no longer minted, equivalent in the later nineteenth century to 80 pesetas

oro (*m.*), gold; (*pl.*) a suit in a pack of playing cards, usually taken to correspond to English 'diamonds'

pagarla(s) (*coll.*), to pay for what one has done

pago (*m.*), payment

pajarraco (*m.*), pejorative term for a large bird; (*coll.*) a queer fish

palmera (*f.*), palm-tree

pana (*f.*), corduroy

pandero (*m.*), tambourine

pantalón (*m.*) **corto,** breeches

paño (*m.*), cloth

parador (*m.*), inn

parecer (*m.*), opinion

parlanchín, -ina, jabbering, chattering

partir, to split, to divide

pasar, to come in; to go through

Pascua (*f.*), any of the Church feasts Easter, Whitsun, Christmas, Twelfth Night; (*pl.*) holidays connected with these Church feasts

pechera (*f., fam.*), bosom

pegar, to hit, to strike

pelo (*m.*), hair; **a pelo**, bareback (riding)

pellejo (*m., fam.*), sot, drunkard

pena (*f.*), sorrow

penacho (*m.*), plume; (*fig.*) pride, presumption

perecer, to perish; to pine

pericón (*m.*), large fan

perinola (*f.*), pear-shaped ornament

perjuro, -a (*m. & f.*), perjurer

perrillo (*m., dim. of* **perro**), puppy

perseguir, to chase

pesadumbre (*f.*), sorrow, misery

piiiii, *onomatopaeic word to signify the ping of a mosquito*

pillo (*m.*), rogue, scoundrel

pimienta (*f.*), pepper

pimiento (*m.*), capsicum, sweet pepper

pin, pío (*onomatopaeic words for birdsong*), tweet, tweet

pinta (*f.*), spot

pisada (*f.*), footstep

pisar (*tr.*), to trample on

pisotada (*f.*), stamp with the foot

pisotear (*tr.*), to trample on

pitos: me importa tres pitos (*coll.*), I don't give two hoots, I don't care two pins

plaff (*interjection*), bang, bonk

poder con (una cosa), to be able to manage something

polquita (*f., dim. of* **polca**), polka

polvera (*f.*), powder-puff

polvos (*m. pl.*), face powder

poner verde, to carp at, to criticise, to abuse

popular, plebeian, lower-class

portalillo (*m., dim. of* **portal**) (*And.*), single room with door onto the street

portazo (*m.*), slam of door

premiar, to reward

prenda (*f.*), possession; precious thing, darling; garment

preocupación (*f.*), concern

pretendiente (*m.*), suitor

primor (*m.*), beauty; **primorcito** (*dim.*), dear little one, darling

psch (*interjection denoting scorn or scepticism*), pshaw

público (*m.*), audience

pucheros (*m. pl.*), pout; **hacer pucheros**, to pout

puñalada (*f.*), stab with a dagger

puño (*m.*), cuff (of garment)

quemado, -a, stung

quicio (*m.*), hinge; **en el mismo quicio**, on the very doorstep

quieto, -a, still; **estate quieto**, behave yourself

quitarse de, to move away from

ramo (*m.*), spray of flowers

rapé (*m.*), snuff

rascar, to scratch

rayo (*m.*), lightning flash, thunderbolt

rebajarse, to demean oneself

rebaño (*m.*), flock of sheep

recapacitar, to think over

recelo (*m.*), apprehension, fear; suspicion

recién, newly, recently

recostarse, to recline, to lie down

refrán (*m.*), proverb

refresco (*m.*), cool drink; **refresquito** (*dim.*), nice cool drink

regañar, to scold

región (*f.*) **lumbar,** small of the back

rematado, -a, con, tipped with

repeluzno (*m.*), fit of shivering

reportarse, to calm oneself

respondón, -ona, pert; one who habitually answers back

retintín (*m., coll.*), sarcastic tone of voice

retorcido, -a, complicated

retroceder, to retreat, to go back

reventar, (*fam.*) to die

revolotear, to flutter, to fly about

revolverse, to move about, to stir, to shift

rollo (*m.*), roll

romper a (+ *infinitive*), to break into, to break out into

ropa (*f.*) **interior,** underclothes

rosario (*m.*), rosary; prayer (Paternoster); meeting to say this prayer

roto, -a, ragged

ruín, bad, wicked

rumor (*m.*), murmur

runrún (*m.*), babbling noise, throbbing noise (*cf.* English 'rhubarb, rhubarb' to represent noise of a crowd)

sacristán (*m.*), sacristan

sacristana (*f.*), sacristan's wife

sala (*f.*), (large) room; house (i.e. auditorium of theatre)

salamanquesa (*f.*), stellion (lizard found in southern Europe)

salir, to go out; to enter (stage)

santiguarse, to cross oneself

sastre (*m.*), tailor, theatrical costumer

sayona (*f.*), nasty, ugly woman

segunda (*f., from* **segunda intención**), hint, double meaning

semilla (*f.*), seed

sentido (*m.*), direction

señorío (*m.*), gentry

señorito (*m., dim. of* **señor**), young gentleman; dandy; boss

seso (*m.*), brain

sien (*f.*), temple

sino (*m.*), fate, lot

sisear, to hiss

sobrarse, *see* **bastarse**

sobresalto (*m.*), alarm, shock; state of alarm or shock

sofocación (*f.*), choking

soltar, to release

sombra (*f.*), shade; **tener buena sombra,** to be very pleasing; **mala sombra,** bad luck, unpleasantness

sombrero (*m.*) **de copa,** top hat; **sombrero plano,** flat, low-crowned hat (various types common in Andalusia)

sorbo (*m.*), sip

sorna (*f.*), irony

suavizar, to smooth, to calm down

substancioso, -a, wholesome, full of good doctrine

suspenso, -a, perplexed, at a loss

talabartera (*f.*), saddler's wife

talabartero (*m.*), saddler

tapar, to hide, to cover

tarjeta (*f.*) **postal,** post-card

telón (*m.*), curtain (stage)

temblorcillo (*m., dim. of* **temblor**), rippling

tenoriesco, -a (*from* **D. Juan Tenorio**), seductive, provocative

terciopelo (*m.*), velvet

tetilla (*f.*), nipple

tirante, drawn tight

tirar, to throw

tiro (*m.*), shot

tiroteo (*m.*), shooting; skirmish

títere (*m.*), puppet

titiritero (*m.*), puppet-master

tocino (*m.*), bacon

tomillo (*m.*), thyme

toparse con, to come face to face with

toque (*m.*) **de trompeta,** trumpet-call

torerillo, -a (*dim. of* **torero**), brave; elegant (pertaining to bull-fighters)

tracamandana (*f., And.*), bustle, hubbub, wrangle

traer loco, to drive distracted

tragar saliva, (*coll.*) to put up patiently with something unpleasant

traje (*m.*), costume

transeúnte (*m. & f.*), passer-by

transigir, to compromise, to come to terms

trapicheo (*m., coll.*), making-do, shifting for oneself

trapo (*m.*) **de fregar,** dish-cloth

tuerto, -a (*m. & f.*), one-eyed man, woman

tunante (*m.*), rogue

valentía (*f.*), courage, manliness

vara (*f.*) **de mando,** wand of office (a symbol of authority)

varilla (*f., dim. of* **vara**), wand, switch

¡vaya!, well!, goodness!

vega (*f.*), open plain; meadows (usually surrounded by hills); (*pl.*) district of this type of country

velar por, to look after

velón (*m.*), brass oil-lamp

venturina (*f.*), gold-stone

verde, *see* **poner**

vergüencilla (*f., dim. of* **vergüenza**), shame; **me da vergüencilla,** I feel shy, it makes me feel silly

vía (*f.*) **pública,** public highway

vinillo (*m., dim. of* **vino**), miserable drips of wine

violento, -a, hot-headed

vocerío (*m.*), shouting, hullabaloo

voces (*f. pl.*), shouts, shouting

volverse el juicio a uno, to go out of one's mind

vuelta (*f.*), facing (clothing)

yerbabuena (*f.*), mint

zarzaparilla (*f.*), sarsaparilla

LUTON HIGH SCHOOL.

LIBRARY (Text Books).

No. .....14.........

Name	Form	Date when taken out	Date when returned
Janet Sterling	Lv IB	—	July 10th
Margaret J. Smith	upp. VI R		12.7.65
E. Watkins .			
L. Vaux	L XVII	14.4.75	~~14.4.75~~

ALL BOOKS MUST BE USED CAREFULLY.